쉿!
너에게만 말해줄게~

대문자 S가
새로운 클라스의 우울증
극복 노하우를 다정하게
알려드립니다

스몰에스에게
대문자에스가

written by 고문자

스몰에스에게, 대문자에스가

발 행 | 2022년 11월 07일
저 자 | 희나라
이메일 | foresight007@naver.com
펴낸이 | 한건희
펴낸곳 | 주식회사 부크크
출판사등록 | 2014.07.15.(제2014-16호)
주 소 | 서울특별시 금천구 가산디지털1로 119 SK트윈타워 A동 305호
전 화 | 1670-8316
이메일 | info@bookk.co.kr

ISBN | 979-11-410-0064-6

차례

생각의 감옥에서 벗어나
그대의 영혼이 바람처럼 자유로워지길 바라며

대문자S가

안녕, 스몰에스 반가워!

난 s를 사랑하는 대문자S란다.

지금은 2019년 10월 15일 늦은 밤이야.

너에게 이렇게 편지를 쓰는 건, 인생 파도타기에 넘어지고 쓰러지고 힘들었던 삶을 살다가, 최근에야 폭풍우를 만나도 길을 잃지 않게 도와주는 자연의 이치를 하나씩 알게 되었지 뭐야.

사랑하는 s는 지난날 나처럼 세상을 몰라 오랫동안 좌충우돌 방황하며, 소중한 내 인생을 허비하지 않길 바라는 마음에서, 이 가을밤에 그대에게 메시지를 띄운다.

-이하 생략-

*-2019.10.15.23:11, 대문자S가 스몰에스(s)에게 보내는, **1번째 편지 중에서-***

스몰에스(s)에게

(떨어질 랑 말 랑. 마지막 잎새가 나 같다고 생각했었어.)

스몰에스, 요즘 어떻게 지내.

혹시 너는 우울증에 걸려 본 적이 있니.

6

옛날에 난 우울증을 꽤 심하게 앓았었어. 어떤 사건이 교통사고처럼 쿵, 영혼에 충격을 일으키고 지나갔었지. 그 자리에 쓰러져 아무것도 할 수가 없었어. 현실이 믿어지지 않았어. 심장엔 칼이 열 개나 꽂힌 양 가슴 아팠어. 그리고 이내 검은 세상이 바다처럼 덮쳐와 날 완전히 삼켜 먹었지.

슬픔이 크면 아무 감정도 느낄 수 없어. 웃음은 사라진 지 오래, 눈물조차 메말라. 종이 인형처럼 건조해지고 무감각해져. 밥은 먹히지 않고, 살은 빠지고, 잠만 끝없이 자고 또 자고…… 컴컴한 방 안이 무덤 같았어. 산 사람도 아니고 죽은 사람도 아니고, 살아있는 시체처럼 숨을 쉬었지.

눈을 떴을 때, 창문 너머 밝아오는 아침 햇빛이 미치도록 두려웠어. 또다시 하루가 시작되는구나. 어제처럼 엊그제처럼 기나긴 하루를 견디어야 한다는 막막함에 한숨이 나왔지. 현실을 인정하고 싶지 않아 도로 눈을 감았어. 아, 그만하고 싶다. 잠자듯 이대로 사라지고 싶다.

(창밖 너머 밝아오는 아침이 두려웠다.)

죽고 싶다는 생각뿐이야. 어느 날은 충동을 느꼈어. 에이포용지에 썼다 지웠다 남몰래 유언을 적고는, 베란다로 가 발아래 허공을 내려다보았지. 한 발짝만 내디디면 1초 만에 모든 게 끝나네……휴. 그러나 차마 그러지는 못했어. 그 정도의 용기는 없었으니까. 정말로 죽고 싶지는 않았으니까. 진심은 누구보다도 살고 싶었으니까.

(그럴 만한 용기는 없었어. 진심은 누구보다도 살고 싶었으니까.)

그 시절 어둠의 굴레를 어떻게 벗어났을까. 어리고 무지했던 나는 어떻게 해야 할지 몰랐어. 그냥 무덤 속에 파묻혀 죽은 듯 살았어.

요즘에야 우울증이 현대인의 감기라 불릴 정도로 흔하지만, 몇십 년 전에는 그것이 흔치만은 않은 병이었어. 내가 우울증인지조차 인식하지 못했거든. 나약하고 무기력해서 그런가 보다. 앞날에 희망이 보이지 않네. 애쓴다 해서 되는 일도 없고, 뭘 해야 할지도 알 수 없고, 딱히 하고 싶은 일도 없고, 차라리 아무것도 안 하고 싶고. 오랜 세월을 허공처럼 멍하니 흘려보냈지. 지우고 싶은 기억은 가슴 한곳에 묻어둔 채, 시간이라는 약을 하루하루 먹으면서 말이야.

감정적으로 너무 고통스러울 때는 어쩔 수가 없어. 사건이 터진 직후엔 원치 않는 외부 충격에 대해 반응할 시간은 필요해서, 내 안에서 무조건 반사적으로 튀어나오는 감정이 흙탕물처럼 떠돌아서는 밖으로 빠져나올 겨를은 허용해야 하니까.

괴로우면 괴로운 대로 슬프면 슬픈 대로 한동안 이불을 뒤집어쓰고 펑펑 울 수밖에. 그때는 방에만 갇혀있지 말고 바람이라도 쐬라, 긍정적으로 생각해라, 옆에서 하는 조언이 들리지 않아. 자신만의 동굴에 들어가 감정을 추스를 적엔 누구의 간섭도 싫으니까.

그런데 그 한동안이 한동안으로 끝나지 않고, 오래 길어지면 병이 된다. 뭘 하고자 하는 의욕이 없어, 일상생활과 직장 활동을 할 수 없게 돼. 내 몸이 내 몸이 아니게 돼. 나중엔 마음의 병이 신체 병으로까지 번질 수 있으니, 이게 또 문제야.

사랑하는 스몰에스야, 언제까지 어두운 방구석에서 쓸쓸히 살 수는 없잖아. 사람이 사람답게 살아야지, 산 사람이 시체처럼 살아야 하겠니.

———————————

s가 가볍게 우울하다거나 또는 장시간 무겁게 침울했다면, 지금부터 내가 하는 얘기를 참고해, 필요한 내용을 너의 환경에 알맞게 활용해 보아.

각자마다 어려워진 원인과 버거운 상태가 다를 거야. 문제의 깊이가 얕다면 몇 가지 행동에 변화를 주는 것만으로도 상황이 나아지겠지만, 그 심지가 뿌리 깊다면 또 다른 차원의 해결책이 필요해. 후자에 대한 언급은 차차 하고, 부담 없이 시도할 방법부터 시작해 보자꾸나.

———————————

1_조금씩이라도 움직이자

힘든 감정에 너무 많은 에너지를 소비하면, 몸에 기력이 없어서 드러눕고만 싶어. 이불 밖으로 나오기도, 문을 열고 화장실에 가기도, 밥을 차려 먹기도 귀찮아. 아무것도 하기 싫어. 뜻대로 신체가 움직여지지 않아.

악몽 속에서 가위 눌릴 때 손가락 하나 까딱하지 못하는, 그런 불가항력적인 상황과 비슷하다고나 할까. 보이지 않는 어떤 힘이 내 기운을 뺏으며 꼼짝 못 하게 몸을 짓누르는 것 같아. (또는 가슴에 블랙홀 하나가 뚫려서 그 구멍으로 에너지가 끊임없이 빨려가 없어지는 듯하기도 해.)

내가 중력을 못 이길 정도로 기력이 없어 종일 방바닥에 종잇장처럼 누워있는 거야. 인간의 육체가 동물인지라 어쩔 수 없이, 방광이 차서 화장실을 가고, 빈속이 쓰려서 밥을 먹는 거지. 청소고 빨래고 남들은 자연스럽게 하는 일상생활이 우울한 사람에게는 온 힘을 끌어모아 해야 하는 큰일이야.

그러나! 아무리 무기력하더라도, 몸을 일으켜 걸어 다닐 힘은 있잖니. 밥솥 뚜껑 열고 숟가락으로 밥 떠먹을 기운은 남았잖니. 아무리 꿈속일지라도, 우리의 의식은 살아서 움직여보겠다고 꾹 힘줘 생각하면, 손가락 하나를 까딱거릴 수 있잖아. 곧 눈이 떠지잖아. 그러니 꾸욱 마음먹고 뭐든 시도하자고.

우선, 이불에서 나오자.

일어나, 창문**부터 열자!**

공기를 바꾸기만 해도, 주위 에너지 흐름이 미세하게나마 변할 테야. 바깥의 시원한 새 바람이 방 안에 정체된 오래된 공기를 밀어내버리면서, 네 기분까지 조금은 환기될 거야.

(창문을 열기만 해도, 주위 에너지 흐름이 바뀌어.)

우리가 숨 한번 쉴 때마다 수백만 개 원자들이 몸속으로 들어왔다 나갔다 한다고 해. 자연 공기 중에는 다양한 오행의 기운을 갖는 원자들이 포함됐는데, 이것들이 호흡을 통해 몸속으로 들어와, 모든 세포와 반응하면서 신진대사가 바뀐대. 우리가 갑갑하면 한숨을 쉬잖아, 답답한 환경 안에서라도 그 공기 안에 든 원자들을 흡수하면, 나에게 필요한 에너지를 공급받을 수 있어서 그렇다네.

자, 창문을 열고 **심호흡**하자. 코로 숨을 길게 들이마시고 흠음음, 입으로 숨을 서서히 내뱉고 휴우우우우우.

₂)우리가 흥분하면 호흡이 빨라지듯 감정과 호흡은 긴밀하게 관계해서, 숨쉬기를 조절해 감정을 다스릴 수 있어. 코로 숨을 길게 배가 나오게 들이마시고, 입을 오므리고 숨을 서서히 배가 들어가게 내뱉는 ₃)**복식호흡**을 하면, 심장 박동이 진정되고 근육이 이완되면서, 불안하고 우울한 감정까지 완화한다고 해.

처음엔 숨쉬기도 연습해야 하나 귀찮기도 하고, 평소 사용하지 않는 신체 부위를 움직여야 하니 낯설기도 한데, 의도적으로 그것을 반복하다 보면 나중엔 복식호흡이 자연스러워져.

코로 숨을 길게 배가 나오게 들이마시고 흠음음, 입을 오므리고 숨을 서서히 배가 들어가게 내뱉고 휴우우우우우. 이때 내 경우, 숨을 천천히 깊게 함에 우선 집중했어. 배가 나오고 들어가게 함에 먼저 초점을 맞추면, 호흡을 느리게 하기도 전에 벌써 배에 힘이 콱 들어가서 숨쉬기가 더 불편해지더라고. 숨을 찬찬히 깊게 마시되, 그 들숨이 물 흐르듯 배까지 깊숙이 흘러 들어간다고 생각하면 좋았어.

여기에, 내가 터득한 독특한 방법이 있긴 해. 가슴에 위치한 **허파가 아랫배로 이동했다고 상상**하니 편하더라고! 배꼽과 항문 중간쯤(의 뱃속 3차원 공간 어딘가쯤)에 허파가 있다. 이 허파가 숨을 흡입할 때는, 코와 항문으로 바깥공기를 서서히 들이마신다(그래서 배는 저절로 불룩 나오게 된다). 이제 들이마신 숨을 허파가 배출

할 때는, 입과 항문으로 더디게 내뱉는다(배는 저절로 오목하게 들어가게 된다). 이렇게 배에 자리한 허파가 들숨으로 부풀어 오르고 날숨으로 쪼그라드는 형상을 이미지화하면서, 복식호흡을 하니 훨씬 수월해지더라고.

갑자기 스트레스를 확 받을 때, 심장이 빨리 뛰면서 숨이 가빠지고 눈앞이 어지러우며 손가락이 떨렸던 현상이, 가슴이 아닌 배에서 호흡을 관장한다고 의식하며 들숨과 날숨의 속도를 차분히 조절하니까, 불안정했던 몸과 마음이 긴장이 풀리면서 한결 편해짐을 체감했어.

다음은 가볍게 스트레칭을 해 볼까. c자 모양 애벌레처럼 쪼그렸던 전신을, X자 형태로 날개를 편 나비처럼 쫙쫙 펼치자. 기지개를 켜고, 팔도 크게 돌리고, 어깨도 으쓱으쓱, 다리도 쭉쭉 뻗자꾸나. 유튜브에서 체조 동영상을 클릭해 따라 하면 효과적인데, 너는 뭔가를 검색하기조차도 귀찮을 테니, 옛날에 학교에서 배웠던 국민체조라도 생각나는 대로 떠올려 움직거리자. 그것도 기억 안 나면, 온몸을 있는 대로 쭈욱 늘리고 돌리면서 스트레칭을 하는 거야.

우선, 요까지만 해도 성공이다! 짝짝짝!

2_행동 연습

방 청소하고, **목욕도** 하자. 방구석에 음침하게 쌓인 먼지 닦아내고, 묵직한 이불 건져 베란다에서 탈탈 털고, 뜨뜻한 물에 온몸을 씻자. 주위 공간과 내 몸을 정화하는 과정이라고 생각해.

더운물에 몸을 푹 담그면 피로도 풀리고 때도 떨어져 나가면서, 텁텁했던 기분이 잠깐만이라도 개운해지잖아. 눈에 보이는 주변 환경까지 치운다면, 너저분했던 방처럼 어수선했던 머릿속까지 깔끔하게 정리되는 느낌이지. 안으로 들어오는 공기조차 달라져 맑은 기운이 방에 머물 거야.

아, 그런데 너는 씻기도 성가시겠지. 때타올로 몸을 문지를 힘도 없지. 밥 먹기도 귀찮은데, 목욕은 말할 것도 없고 청소 같은 노동은 엄두도 못 낼 테야. 꾹 마음먹었다고 몸을 움직일 수 있다면야 무슨 문제겠어. 뭘 하겠다고 다짐했음에도 그것을 행동으로 옮기지 못한다면, **이런 방법은 어떨까.**

먼저, **할 일을 정하고,** 그것을 **실천할 날짜를 여유롭게 잡아둬.** 그리고 **그날이 오기 전까지,** 그 **일에 대한 생각을 여러 번 반복**하는 거야. 내일모레 청소를 하겠다고 결심했다면, 내일모레가 되기 전까지 머릿속에 청소라는 화두를 끊임없이 염두에 두면서, 마음의 준비를 계속해 나가는 거지. 그 생각과 동시에 신체 역시 알게 모르게 내일모레 청소할 때 쓸 에너지를 비축하려고 예비하거든.

내일모레 방 청소하자… 내일 청소하는 날이지… 오늘 청소하는 날이야! 드디어 목적한 당일이 왔을 적에, 방바닥에 눌어붙었던 몸을 일으켜 이불에서 나오는 거야. 방을 치우더라도 단번에 끝내기가 벅차다면, 처리할 수 있는 양 만큼만 무리하지 말고 하나씩 정리해나가. 지금은 방바닥을 닦고, 이따 책상을 정돈하고, 나중엔 수납장을 정돈하는 식으로 나눠서 하면 돼.

무기력한 상태에선 뭐든 생각을 내었다고 해서 그것을 곧바로 실행하기가 어려우니, 여유를 두고 어떤 날을 정해 그날에 하고자 하는 실천사항을 머릿속에 항상 떠오르면서, 때로는 그 행동을 하는 자신의 모습을 상상하면서, 마음의 채비를 하는 동시에 내적으로 에너지를 모아서는, 목적한 날에 몸을 끌어당겨 움직이는 거지. 머릿속에서 할 일에 대한 시뮬레이션을 충분히 반복해야(내일모레 책상 서랍을 정리하는 내 모습, 쓰레기 분리수거를 하는 내 모습 등등), 특정한 날에 **실제적인 행동으로 표출되기도 용이**해지더라고.

―――――――――

3

자, 이번엔 더 과감하게 **밖에 나가는 연습**을 해 볼까.

바깥바람 쐬고 싶어도 그게 또 쉽지 않잖아. 이불 안에서 나와 방문을 열기조차 귀찮은데 현관문을 열고 집 밖으로 나선다는 건, 보이지 않는 찐득거리는 두터운 막을 뚫고, 다른 세상으로 헤쳐나가는 도전처럼 다가오니 말이야.

이런 때에도 며칠 기간을 띄우고 외출할 날을 정한 후, 그날이 되기 전까지 나들이할 생각을 머릿속에서 끊임없이 반복하면서(내일모레 바깥바람 좀 쐬자… 내일 나가자… 오늘 3시에 나가자!), 때로는 집 밖을 나서는 자신의 모습을 구체적인 이미지로 그리면서(하늘색 운동화를 신고 카페라떼색 가방을 어깨에 메고서 빵집 사거리까지 갔다오자), 외출할 생각의 채비를 계속하는 동시에, 내일모레 활동할 때 쓸 에너지를 내적으로 쌓다가, 목표한 당일 오후 3시가 되었을 때, 힘을 끌어모아 몸을 일으켜서 어깨에 메는 카페라테 색 작은 가방에 물병과 휴지를 챙긴 후, 신발장에서 하늘색 운동화를 꺼내 착용하고는 현관문을 열고 집 밖으로 나오는 거지.

음울한 내 얼굴과 빼빼 마른 내 몸을 누군가가 손가락질하며 수군댈까, 걱정하니. 네가 타인 눈에 어떻게 비칠지 조마조마하듯, 다른 사람도 자기가 남에게 어떻게 보일까, 신경 쓰느라 지나가는 사람을 깊게 관심 두지 않으니 염려하지 마. 영 불편하면 모자 눌러쓰고 마스크 착용하면 되지.

집을 벗어나는 순간, 바깥 공기가 확실히 달라! 한번 달팽이 집에서 탈피하기가 힘들지, 바깥세상으로 나오면 시원한 세상 바람에 가슴이 탁 트이고 숨통이 턱 터질걸.

(밖으로 나오는 순간, 숨통이 턱 트여.)

새하얗게 빛나는 태양, 새파란 겨울 하늘, 차갑고 상쾌한 바람, 멀리서 들리는 아이들의 해맑은 웃음소리, 웅웅 지나가는 자동차

소음……. 어둡고 정체된 방 안에서만 머물렀다가, 다양하게 흘러가는 밝고 활발한 외부 환경을 만나면, 기분이 새로워지는 데가 있을 테야. 바깥 공기에 함유된 풍부한 오행의 기운이 나에게 부족한 에너지를 채워주면서, 신체 신진대사의 반응이 달라지고, 그에 따라 느껴지는 감정에도 긍정적인 영향을 줄 테니까.

————————————

4_동네 한 바퀴

슬슬 걸어볼까.

익숙한 길부터 편의점, 문방구, 옷가게, 전통시장, 빵집 사거리 지나서 평소 잘 다니지 않는 먼 데까지.

세상 구경도 하고, 사람 구경도 하고, 다리 운동도 되고. 없어진 식당, 새로 생긴 커피숍, 저마다의 이야기를 가지고 하하 호호 지나가는 사람들, 고단해 보이는 공사장 아저씨, 종이박스가 담긴 손수레를 끄는 고부랑 할머니, 희희낙락 뛰어노는 아이들, 젊은이들의 알록달록 새로운 옷차림, 보도블록 바닥에 떨어진 노랗고 붉은 낙엽들, 쓸쓸한 늦가을 앙상한 나뭇가지들, 또 한 번 또 하나의 계절이 지나가는구나, 새삼스레 애틋해지기도 하지.

길 걷다 배고프면 달콤한 팥 붕어빵 사 먹고,

매콤한 떡볶이도 꼬치로 콕 찍어 먹고,

고소하고 부드러운 카페라테도 후후 불어 마시며,

　동네 한 바퀴를 돌아보아. 소소한 즐거움에 미소가 절로 행복해져. 이게 소소하지만 확실한 행복이지 뭐야.

　단, 우울한 정도가 가볍다면 동네 걷기로도 기분전환이 가능하지만, 그 상태가 깊다면 어떤 환경 자극에도 특별한 감흥을 받기는 어려울 테야. 나와는 먼 딴 세상 사람들 이야기인걸. 난 마을 사람들과 어울리지 않아. 혼자 회색 나라에서 온 어두운 이방인이라고 어깨가 옴츠러들겠지. 순간 달팽이 집을 탈피하고 나온 일을 후회할는지도 몰라. 알몸으로 돌아다니는 것 같은 자신이 창피하다 여겨질 수도 있어. 괜히 나왔어. 기분만 안 좋아졌잖아. 어지러워. 걸을 힘도 없다. 그렇다면 집으로 돌아가자. 누구도 너에게 건널목 사거리 주유소까지 갔다 오라고 등 떠미는 사람은 없으니까.

용기 내, 세상 밖으로 한 발짝 나왔다는 시도에 의미를 두는 편이 어떨까. 오늘처럼 할 수는 있잖아. 그러니 다음엔 더 잘할 거야.

다양한 공기, 다양한 소리, 다양한 사람들, 다양한 볼거리를 만나면서, 새롭고 활기찬 바깥바람이 내 몸에 흡수돼 내 에너지 흐름이 미세하게나마 달라지긴 하니, 일단 그것만으로도 만족하자꾸나.

――――――――――

5_뒷동산 산책

동네 한 바퀴보다 더 좋은 건, 뒷동산 산책이야. 집 가까이 산이 위치했다는 게 얼마나 행운인지 몰라.

가슴을 쾅쾅 치고 싶을 정도로 갑갑할 때, 난 운동화를 신고 집을 뛰쳐나와 뒷동산에 오른다. 조명처럼 눈부시게 빛나는 태양을 바라보다가, 언제나 그 자리에 서 있는 선량한 초록색 나무들과 인사하고, 바삭바삭 황토색 흙길을 걷다 보면, 어느새 불안하게 요동쳤던 감정도 휴, 휴, 휴, 차분히 진정되거든.

(조명처럼 빛나는 태양과 선량한 초록색 나무들)

밤새 숲속 친구들이 동화 같은 이야기를 숨은그림찾기처럼 여기 저기 감춰놓았지 뭐야. 동산 중턱 한 모퉁이에 어제는 오므렸었던 꽃봉오리가 오늘은 활짝 웃음꽃이 피었고, 오솔길 땅바닥 한쪽에 떨어진 밤송이가 고슴도치처럼 옹크리고 있네.

(달걀후라이를 닮은 4)달걀꽃)

:)

풀숲에 가려진, 재미있게 생긴 버섯이 호기심을 자극하고,

('겨울왕국'에 나오는 돌요정 '트롤'처럼 생긴, 먼지버섯)

앙상한 가지에 구겨진 종이처럼 매달렸던 나뭇잎은 이제 감쪽같이 사라졌네.

(구겨진 종이처럼 바스락거렸던 메마른 잎사귀)

엄마야, 쥐처럼 생긴 청설모와 우연히 눈이 딱 마주쳐 섬뜩 놀라기도 하지.

(엄마야, 청설모 쥐처럼 생겼어!)

다양한 숲속 친구들이 아기자기하거나 놀랄 만한 이야기를 날마다 만들어 놓고 기다리니, 난 앨리스가 돼 동화 속 신기한 세상을 이곳저곳 여행하는 기분이랄까. 이 자체가 매일매일 새로운 힐링이야.

6_맨발 걷기

가끔 맨발로 흙길을 밟기도 해.

맨발 산행으로 불치병을 극복했다는 한 아저씨에 관한 신문 기사를 언젠가 읽고, 나도 한번 해 볼까, 운동화를 벗어들었었지. 선뜻 맨발로 걷기는 두려워, 양말은 남긴 채 발가락을 꼬부리고 조마조마 한 발짝씩 떼었는데, 오! 의외로 편했어! 이내 발가락이 펼쳐지더라. 뾰족한 돌멩이나 솔잎이 연약한 살갗을 찌를까, 염려했지만 숲길에 떨어진 솔잎은 바늘처럼 세로로 꽂힌 게 아니라, 땅에 납작하게 누웠잖아. 머리카락처럼 뭉쳐진, 누런 솔잎 뭉치는 지푸라기처럼 푹신하기까지 했지.

(맨발, 생각보다 편하네.)

운동화의 둔탁한 고무바닥이 사라지자, 발바닥이 맨땅을 자연 그대로 느꼈어. 저기는 차갑고 축축한 땅이네, 요기는 따뜻하고 보송하네. 자잘한 돌멩이, 울퉁불퉁한 나무뿌리, 반들반들한 바위가 발바닥을 누르며, 그 개운한 자극이 등줄기를 타고 목 뒤쪽을 거쳐 머리 위로 부채꼴처럼 쫙 펼쳐지면서, 온몸이 상쾌해지더라고! 운동화를 벗었을 뿐인데, 또 다른 신세계야. 발바닥에 숨통이 트이고 몸이 붕붕 떠오르듯 가벼워질 수가. 운동화를 착용했을 때보다 적어도 2배는 기분이 가뿐가뿐 좋았어.

(온몸이 시원해!)

뭐, 그렇다고 스몰에스가 맨발 걷기까지 무리하게 따라 하기를 바라지는 않아. 그건 남들 눈에 뜨이는 낯선 행동이고, 아무래도 맨발이 신경이 쓰여서 거친 땅을 마음껏 뛰지는 못하니까. 나조차도 며칠 비가 쏟아졌을 때 다시 운동화를 신었고 그 이후로 습관이 안 됐지만, 맨발 걷기는 혈액순환과 기분전환 등 건강에 이로운 영향을 준다는 사실을 확실히 체험했었지.

_____

7_100일만 산책해도

(백일만 산책해도 웬만한 우울증에서 벗어나.)

※*자연의 이치*에 따르면, 100일만 산책해도 웬만한 우울증에서

벗어날 수 있어. 아침 해 뜰 때 30분 정도, 오후 석양이 질 때 30분 정도 햇빛을 받으면서 걷는 게 좋아. 우리 몸이 햇볕을 쬐면 칼슘 흡수에 도움을 주는 비타민D를 생성해 골다공증을 예방하고, 땅을 밟을 때 발바닥이 울퉁불퉁한 요철 자극을 받아서 뼈가 밀도 있게 다져지기 때문이야. 날씨 화창한 날은 등산도 괜찮아. 무리하지 말고 산을 오르락내리락하면서 자연의 기운을 받으면, 내가 변하는 데 크게 도움받아. 운동이 아니라 자기 시간을 갖는다, 생각하는 거야. 나는 생각 점을 만지며 걷는데, 몸은 부족한 기운을 자연으로부터 스스로 필요하게끔 채워가며 바뀌는 중이라고.(1)

숲속의 올라, 피톤치드가 듬뿍 함유된 초록색 공기를 마음껏 들이마시자. 코로 숨을 천천히 배가 나오게 마신 뒤 흠음음, 입으로 숨을 배가 들어가게 길게 내쉬고 휴우우우우우. 흠음음 휴우우우우우, 흠음음 휴우우우우우……. 안정된 호흡으로 흡입된 숲속의 맑은 공기가 몸속 에너지 대사에 관여해 신체를 정화해 주고, 정신적인 스트레스까지 완화해 줄 테야.

그렇게, 우리 조금씩이나마 움직여보자. 육체가 활동하면, 어깨에 뭉친 탁한 기운도 풀려나가고 기분도 한결 가뿐해지며 없던 밥맛도 생길 거야.
인간이 뭐니. 식물이 아니라, 동물이지. 동물이 뭐니, 움직이는 생명이잖아. 우리가 움직이지 않으면 어떻게 될까. 서서히 죽어가는 거지, 식물인간처럼. 스몰에스, 제대로 살고 싶니. 그렇다면 방에 가만히 있지 말고, 운동화 신고 밖에 나가 걸어!

나도 당장 산책해야겠어. 요즘 한동안 그늘 속에 옹크린 버섯인 양 노트북 앞에만 앉았더니, 왼쪽 목 뒤쪽이 삐걱삐걱 뻐근하네. 보온병에 따뜻한 커피 담아 뒷동산 한 바퀴 돌고 와야지.

아 참. 신종 코로나바이러스 조심해. 마스크 착용, 손 씻기 알지.

그럼, 다음 어느 시간에 또 만나^^☆

-2020년 2월 4일 대문자S가-

스몰에스, 네가 하고 싶었던 일이 뭐야, 재미있어하는 일이 뭐야?

오랜 시간 노력을 많이 해야 이룰까 말까 한 하늘에 별 같은 소원 말고, 네가 푹 빠져서 재밌어하는 일, 당장이라도 어렵지 않게 시도 가능한 즐거운 일이 무엇일까?

왜 물어보냐면, 들어봐.

너는 지금 티를 안 내고 힘겨운 감정을 참고 있지. 초조, 슬픔, 억울함, 분노, 공포 등등 부정적인 감정이 속에 차서 울먹울먹하는데, 아무렇지도 않은 척 견디잖아. 억눌러도 자꾸만 터져 나오는 감정을 가까스로 끌어안고 붙잡잖아.

가슴속에 파묻힌 오래된 아픔을 녹여내려면 또 다른 중요한 과정이 필요하겠지만, 당장은 부글부글 끓어 넘치는 감정을 밖으로 토해내야 하지 않겠니.

웬만한 일로는 우울증에 걸리지 않지. 감당할 수 없는 어떤 일이 교통사고처럼 쿵. 치고 지나가 너를 쓰러뜨리게 했잖아. 그래서 답답하고 미치겠잖아. 네 심장을 때린 충격에 대한, 쓰라린 감정을 끄집어내서 나가게 해야 네가 숨통이 트이지.

―――――――――――

1

혹시, s가 솜털처럼 예민한 감각을 가졌고, 외부 충격에 상처를
잘 입으며, 눈물이 많을까, 우울한 기질이 DNA에 본성처럼 내재
한 유형일까.

비 내리는 창밖 너머 아련한 풍경을 좋아하고, 애틋한 분위기에
본능적으로 끌리며, 때로는 그러한 센치함을 초콜릿을 녹여 먹듯
의도적으로 즐기는 사람일까.

(빗속을 걸었네)

이런 물랑물랑한 남다른 감수성이 독특한 예술을 탄생시키는 원천으로 작용하기도 했었을 테야. 자신뿐만 아니라 타인의 희로애락을 민감하게 흡수하는 기질의 질량이 녹아든 그림이나 음악은, 저마다 녹록지 않은 인생을 사는 사람들에게 나도 그러한 상황에서 그 기분을 이해한다는 공감을 끌어내며, 그들에게 따뜻한 위로가 되었을 거야. 눈물처럼 애잔한 감수성이 예술 작품을 만들어냈고, 그것이 창작자에겐 바깥세상과 소통하는 매개체 역할을 했었겠지.

(흔들리는 차창 너머로)

그러나 센티멘털함을 좋아하는 사람일지라도, 예상치도 못한 정신적인 충격을 쾅! 맞았을 때는 이 예민한 감각의 소유자들은 그

침울한 상황을 결코 즐길 수 없고, 다른 사람보다 검은색 바다에 더 깊이 추락해, 더 많이 아파하고, 더 오랫동안 괴로워할 수가 있어.

내 안에서 주기적으로 우러나오는 애잔한 샘물을 퍼 날라 예술 활동으로 풀어냈듯이, 우울증이라는 폭풍우 속에 휘말렸을 때조차 그 안에서 느껴지는 온갖 고통스러운 감정을 창작으로 승화시켜 낼 수 있다면야 다행이야. 그림을 그리거나 노래를 부르거나 춤을 출 때 불안, 슬픔, 분노 두려움 등 무거운 에너지가 밖으로 풀어져 나오면서, 나를 짓누르는 스트레스 압력이 완화되니까.

이렇게 태생적으로 타고난 우울한 기질과 공생할 줄 아는 방법을 터득한 사람이나, 이런저런 다양한 경험을 통해 자기가 뭘 좋아하는지 알고, 그것에 몰입할 수 있는 사람은 그나마 괜찮아. 그 취미를 통해 스트레스를 건강하게 관리만 해도 마음의 병은 심각해지지 않을 거야.

———————————

2

자신이 뭐에 흥을 느끼는지, 무엇에 푹 빠져 시간 가는 줄 모르는지조차 모르는 사람, 그래서 스트레스를 그대로 끌어안고 검은색 바다에 침몰해 세상과 단절하며 지내는 사람이 주의가 필요하지.

속은 썩어 문드러져도 괜찮은 척 참기만 하면, 언젠가 마음의 병이 신체의 병으로 번지는 상황까지 벌어지거든. 하늘도 무심하시지, 왜 내게 이런 고통을 주십니까, 세상이 무너진 것만 같아. 현실이 믿어지지 않아. 무서움에 숨조차 쉴 수 없지. 그때는 죽고 싶은 게 아니라, 살고 싶어서 지푸라기라도 잡으려 할는지도 몰라. 그렇게 죽고 싶었던 사람이 정작 죽을 위기가 현실로 닥쳤을 때는, 하늘을 향해 제발 도와달라고 기도하게 될는지도……. 생존 욕구는 인간의 가장 기본적이고 원초적인 본능으로, 결정적인 순간엔 그것이 죽음을 원하는 바람보다 더 강렬하게 작용할 테니까.

또는 주체할 수 없는 감정을 장기간 억압했을 경우 중에, 그 갑갑함이 폐쇄적인 환경에서 이상하게 변이한다면, 본인뿐만 아니라 타인까지도 나락에 빠트리는 위험을 초래해. 예를 들어, [1]사람이 자연스럽게 가질 수 있는 본성을 자신이 처한 환경 때문에 오랫동안 억누르기만 하면, 그렇게 해서 잘 사는 게 아니라 상태가 악화돼. 외부 강압이 살짝 풀리는 어느 상황이 왔을 때, 참았던 분노가 폭발하면서 공격성으로 드러나. 여기서 충동 조절이 안 되면, 자기를 자해(또는 자살)하거나 타인에게 폭력(또는 살해)을 가하는 극단적인 사회문제까지 일으키지.

[2]정신분석학자, 지그문트 프로이트가 '억눌린 감정은 절대 죽지 않는다, 산채로 묻혀서 나중에 더 추한 모습으로 등장한다.'라고 말했듯, 압박된 감정들은 잠재의식에 갇혀서, 우리 삶의 다른 순간에 다른 방식으로 나타날 수밖에 없고, 마음의 균형을 심각하게 망가뜨린다고 해.

　스몰에스, 네가 선택할 수 있어, 우울한 스트레스를 가슴속 웅덩이에 눌러 담아 끌어안고 갈지, 아니면 그것을 내려놓고 가벼워지는 해방감을 맛볼지.

　생각의 물결에 따라 꺼내놓은 말이 약간 딴 데로 길어졌긴 한데, 부정적인 감정을 적절하게 밖으로 풀어내는 작업이 얼마나 중요한지 s도 이해했으리라 믿어. 한마디로, 스트레스를 건강하게 해소하자는 얘기야.

　그러니까, 네가 잘하지는 못해도 흥미를 느꼈던 게 뭐야? 어두운 생각에 매몰되지 않게, 다른 데로 관심을 돌려줄 재밌거리 말이야. 돈과 시간을 많이 들이지 않고도, 시도할 만한 즐거운 무언가 말이야.

　먹고 살기 위해 생활하다 보면 그런 활력소가 내게 있기나 했었는지 기억조차 희미하겠지만, 이 세상에 태어날 때는 저마다 소질을 다 갖고 나왔으니, 본능적으로 끌려서 좋아하는 한 가지는 분명히 존재할 테야.

　옛날 학교 다닐 적에 가입했었던 클럽활동이라도 떠올려 봐. 사진, 영화, 합창, 그림… 아니면 평소에 텔레비전 교양정보프로그램을 보면서, 저거 한번 해 보고 싶었던 게 있었을까. 십자수, 쿠키와 케이크 만들기, 낚시, 악기, 등산 등등 사람마다 다르겠지.

3

내 경우, 감정적으로 너무 아플 땐 이불을 뒤집어쓰고 며칠은 몸져누워. 도저히 아무것도 할 수 없거든.

한동안은 비실비실하다, 슬슬 운동화를 신고 동네 뒷동산을 올라.

산책만으로는 부족하다, 더 강한 행동으로 스트레스를 풀어버리고 싶다면, 편의점에서 더도 말고 덜도 말고 맥주 한 캔을 사서 혼자 코인 노래방으로 향하지. 노래 부르기만큼 먹구름 우울 기분을 파란 하늘 쾌청 맛으로, 빠르게 바꿔주는 스트레스 해소법이 없거든.

카아, 시원하게 맥주 한 모금을 들이키고 나서, 못 불러도 괜찮아. 애틋한 감정에 흠뻑 취해도 보고, 신나는 리듬에 꽥꽥 목청도 높여 보는 거야. 모르는 사람이 힐끔 쳐다보고 웃으며 지나가도 괜찮아.

소리 질러! 오예스! 가슴속에 꽉 막힌 갑갑한 감정을 한차례 컬컬컬, 토해버리면 속이 후련해! 몸이 가뿐가뿐해져!

스몰에스, 너도 해 봐. (아 참, 코인노래방에서 맥주 한 캔을 살짝 마신 사실은 비밀로 해 줄래^^ 담부터는 먹은 후에 가기로 할게~)

오늘은 여기까지.

다음 어느 시간에 또 만나~^^☆

-2020년 2월 12일 대문자S가-

스몰에스, 그동안 재밌는 뭔가를 해 봤니?

너도 코인 노래방이라도 다녀왔니?

며칠 전에 난 국내 유명한 한 가수의 락(Rock) 콘서트에서 락락
(樂樂)한 시간을 보내며, 오랜만에 바깥나들이로 룰루랄라, 신바람
을 쐬고 돌아왔었지.

그래서 말이야, 오늘은 음악 얘기를 간단히 하려고 해.

(음악으로~ 신나라~ 희나라ㅋㅋ)

1

음악이 마음을 치유하는 역할을 한다는 건 익히 알고 있겠지. ₁)
음악에 따라 뇌가 다르게 반응한다는 사실이 밝혀지면서, '음악치
료'까지 생겨났어. 음악은 각각 고유의 리듬, 화음, 음색을 갖는데,
인간의 뇌는 이런 다양한 음의 변화에 영향을 받아, 어떤 음악을
듣느냐에 따라 피의 흐름이 원활해지기도 하고 심장 박동수가 줄
어들기도 해.

또한 ₂)자신에게 알맞은 음악을 들으면, 음식이나 약물을 먹거나
성욕을 느낄 때 반응하는 두뇌의 동일한 부위가 자극되기 때문에,
심리적인 만족감이나 안정감을 느낀다는 거야. 이런 안정 상태에서
는 자신의 내면의 문제를 발견하고 그것을 새롭게 인식하는 통찰
력도 가질 수 있다네.

자연의 법칙에서도 음악의 치유력에 대해 언급하고 있어.

※ 자연의 이치
   음악 _ 사람의 감정을 움직이는 소리 주파수(1)

모든 생명은 소리 주파수와 빛 주파수로 외부 환경을 흡수한다. 인간 역시
자연의 주파수를 읽어 바깥 정보를 인식한다.

음악인 소리 주파수가 인간의 감각기관인 귀를 통해 뇌로 들어가, 그 안에서 변화를 일으켜 감정을 건드리기 때문에, 음악으로 정서적인 어려움을 치유할 수 있다.

어떤 음악을 듣느냐에 따라, 환자는 안심할 수도, 성나거나 포악해질 수도, 기분이 좋아질 수도, 우울해질 수도 있다. 사람의 감정을 움직이는 게 음악이다.

소리의 위력은 대단해. 인간이 방어할 수 없는 무기를 만들라치면 주파수 무기가 될 것이다. 음파가 날아가서 치면 막을 수가 없다. 소리로 사람을 죽일 수도, 살릴 수도 있다. 앞으로는 소리 주파수를 활용한, 음악 치유 프로그램이 계속 발전할 것이다.

2

개인의 상황에 따라 그에 적합한 음악을 듣는 게 중요해. 내 심리상태와 일치하는 음악에 동질성의 원리가 작용해, 현재 감정이 우울하다면 흥겨운 멜로디보다는 애잔한 노래에 감흥이 일어나.3) 그러한 선율을 통해 슬픈 감정을 정화하고 외로움을 위로받을 수 있어.

맞는 말이지. 스폴에스, 네가 실연을 당했다 치자. 이별의 아픔으로 네 눈에 눈물이 떨어지는데, 카페 벽에 달린 스피커에서 터져 나온 클럽 음악이 네 머리를 쾅쾅 때린다면 어떻겠니. 침울한 네 감정 상태와 신나는 댄스곡의 분위기가 상충해, 음악이 불쾌한 소음 스트레스로 작용하겠지. (공부하려고 책상 앞에 앉은 찰나에, 위층 사람의 발소리가 천장에서 쿵쿵 울려 퍼지는, 불편한 상황과 비슷하다고나 할까.)

이때는 애절한 곡조를 통해, 네 안에 넘치는 구슬픔이 눈물로 액화해 밖으로 나오도록 하는 편이 나아. 가슴속에 파인 웅덩이에 슬픔이 고이지 않도록, 그 서러운 감정이 서러운 선율을 타고 눈물로 자연스럽게 흘러나오게 말이야. 그런 후에 밝고 경쾌한 음악으로 분위기를 살살 변화시키는 거지.

―――――――――――

※ *참고하기*

이럴 땐 이런 노래, 저럴 땐 저런 노래~

♪ 우울하면 우울한 노래로

우울한 감정은 우울한 노래로 흘려보내는 게 좋아. 한 번쯤은 노랫말이 내 마음 같다고 느껴봤을 테야. 섬세한 가사가 나를 대신해 애달픈 심정을 나보다 더 잘 표현해 주는 것 같아, 힘든 마음을 위로받잖아.

내가 아무것도 아는 게 없이 비틀거리고 넘어졌을 때, 자신이 한없이 작게만 느껴져 서럽고 쓸쓸할 적에, 때로는 주변 사람이 염려돼서 하는 형식적인 조언보다, 잘 만든 노래 하나가 나의 눈물이 되고 벗이 돼 주잖아. 어쩌다 미운 옛사랑이 떠오르면 남들도 모르게 마음껏 울어도 돼.

채 아물기도 전에 묻어버린, 오래된 아픔이 애틋한 노래에 되살아나 눈물이 흘러내리네. 4분 동안 꾸는 슬프고도 아련한 꿈속에서 묵은 감정이 몇 방울 씻겨나가며 영혼이 맑아지네. 지나온 일들이 가슴에 사무쳐, 달랠 길 없는 외로운 마음을 노래에 잠시 기대어 쉬다 긴 여운을 남기며 고단한 삶의 여정을 다시 떠날 수 있다네.

♪ 흥겨운 노래로 기분을 up!

우울한 기분을 우울한 노래로 풀어, 한쪽으로 기울어졌던 감정을 끌어올렸다면, 밝고 긍정적인 노래로 분위기를 가볍게 전환해.

흥겨운 리듬에 어깨가 들썩들썩~ 온몸이 흔들흔들~ 머릿속에 선율이 출렁출렁~ 기분이 몽글몽글 솜사탕 구름 위로 날아올라~ 라라라~

파도가 넘실거리면 우리 몸도 그 물결에 따라 올라갔다 내려갔다 움직여지듯, 흥겹게 출렁이는 음악의 파동에 온몸이 일렁거려지고, 머릿속에 소리 물결이 한동안 춤추며 기분이 즐거워져, 라라라~

반짝반짝 동화 같은 별을 보면서, 음악에 취해 사랑 노래 함께 불러보자, 라라라~

♪ 스트레스를 날리고 싶다면

스트레스를 확 날려버리고 싶을 땐, 빠르고 강한 노래를 들어봐. 심장을 쾅쾅 두드리는 댄스 음악에 춤춰 봐. 쾅쾅, 강한 비트에 주위 공기가 웅웅 울리고 그에 따라 몸이 저절로 왔다 갔다 흔들릴 거야. 소리 질러, 뛰어올라, 둠칫둠칫 춤추는 이 순간 내가 이 세상의 챔피언인 양 즐겨 봐. 내 안에 답답함을 먼지 털어내듯 탈탈 날려 보내.

외부 상황에 압박받아 스트레스가 극심할 때는, 더 거칠고 센 음악도 좋아. 분노를 터트리고 싶지만 그럴 수 없는, 현재의 욕구 불만 상태를 과격한 헤비메탈이, 소리를 비틀고 강도를 키운 전기 기타와 파괴하는 듯 세차게 내려치는 드럼과 하늘로 치솟는 고음을 지르는 보컬이 만들어내는 강렬한 사운드가, 너를 대신해 억눌린 감정을 통쾌하게 터트려 줄 테니까. 대상을 주먹으로 라이트 레프트 날려서 케이오시키는, 그런 쾌감을 공격적인 락 음악을 통해 간접적으로나마 느끼며 스트레스를 때려 부수어 봐.

♪ 희망과 용기를 불러주는

목소리의 화음과 음악이 몸속에 여러 진동을 만들고, 그 높고 낮은 떨림이 내 안에서 다채로운 공간과 아름다운 감정의 물결을 일으켜, 노래를 통해 전신이 일렁이는 다차원적인 감동을 느끼기도 하지.

순간, 정신이 번쩍 들고 눈물이 또르르 흘러나왔어. 짜릿한 전율이 등줄기를 타고 목 뒤쪽을 거쳐 머리 위로 부채꼴 모양으로 쫙 펼쳐나갔지. 가슴이 부풀고 몸이 붕 떠오르는 기분이었어.

움츠렸던 내 안의 또 다른 내가 꿈틀대고, 불현듯 겨드랑이가 가려워지는 노래가 있단 말이지. 누군가의 일기장을 훔쳐보는 듯한 진솔한 가사가, 급하게 달리던 생각의 속도를 잠시 멈추고 나를 돌아보게 했어. 그때 그 아이가 세월이 흘러 이렇게 스탠드 불빛 노트북 앞에 외로이 앉아 있구나, 뭉클한 미소가 흘러나왔지. 오늘은 없는 어깻죽지의 날개가 언젠가는 돋아, 나도 전설 속의 누군가처럼 날개 펴고 훨훨 날 수 있을 것만 같았어. 노래가 희망과 용기를 주는구나. 음악은 사람의 감정을 움직이는 순간의 마법이구나.

―――――――――

스몰에스, 집에서 편하게 이럴 땐 이런 노래, 저럴 땐 저런 노래로, 그때그때 기분에 맞게 자기 입맛에 맞는 음악을 듣거나 따라부르면서, 가슴속 웅덩이에 고인 탁한 감정을 소릿결에 눈물 결에 웃음 결에 훌훌 날려 보내자.

그럼, 다음에 또 만나~^^☆

-2020년 2월 20일 대문자S가-

☘9번째 편지
_춤겨워라, 흥겨워라
2020.3.15. 24:59

스몰에스, 안녕?

메마른 나뭇가지에 연두색 새싹이 트는 봄날이 다가왔지만, 코로나바이러스 때문에 아직 겨울이 간 것 같지 않지.

우울할 땐 뭐니 뭐니 해도 둠칫 둠칫 두둠칫, 춤이 최고야.

음악에 맞춰 춤추면 근육과 심장이 튼튼해질 뿐만 아니라, 뇌 건강과 인지기능이 향상되고, 세로토닌이라는 행복 호르몬이 분비돼 우울한 기분이 해소되면서 즐거워져.

(안녕!)

춤의 효력을 적극적으로 활용해 신체 건강과 삶의 활기를 되찾은 사례를 볼까.

80세가 넘은 한 할아버지는 10여 년 전에 암으로 진단을 받고, 젊은이들이 좋아하는 팝핀 댄스를 배우면서 병을 극복했어.

"암세포에 충격을 주려고 팝핀을 택했어요. 충격을 어떻게 주냐, 팡팡팡! 팝핀 댄스를 팡팡팡, 하면서 추니까. 누가 들으면 비웃을지 모르나, 나는 이게 기막힌 아이디어라 생각해서 팝핀을 선택하게 됐어요.2)"

"팝핀 댄스를 추니까 암세포들이 6, 25 난리보다 더 큰 난리네, 하면서 도망가는 거다.3)"라고 하하하, 웃으며 말하는 '팝핀 할아버지'는 팔 굽혀 펴기 백 개와 외발 서기 십 분을 할 만큼 젊은이 못지않은 체력을 유지하고 있다고 해.

※*자연의 이치*에 따르면, 우리가 뭔가를 재밌게 하고 지내면 병에 신경이 안 쓰여. 병은 잘못된 기운들이 트러블을 일으켜 발병하는데, 내가 흥미 있는 무엇에 몰두하면, 탁한 기운이 거기에 끼어들지 못해 떠나야 해서 병이 나아.

임시로라도 흥 나는 일을 찾으면, 처음으로 다른 것이 눈에 보이기 시작하고, 딴 것이 보여야 거기로 눈길이 가서는, 생각까지 옮겨지지. 그렇게 우울한 생각에 빠졌던 관심을 새로운 방향으로 이동시켜 초기 기운을 회복하는 게 바람직해.(1)

자기가 좋아하는 일을 하며 하하하, 웃으며 살면, 병도 달아난다는 자연의 원리를 팝핀 할아버지가 몸소 증명해주고 있잖아.

———————————

신체뿐만 아니라 정신건강에 도움 되는 춤의 긍정적인 효과를
나 역시 확실히 체감했었지.

1_댄스 교실에 가다

말 없고 수줍음을 타는 내가 춤을 추고 싶어서, 동네 행복복지
센터에서 운영하는 문화교실, 다이어트 댄스 강습에 신청한 적이
있었어.

작년 이맘때 스트레스가 심했었던 난, 방에만 가만히 앉아 있다
가는 미쳐버릴 것만 같았어. 산처럼 큰 두려움이 온몸을 짓누르며
숨통을 조여와, 어떻게 해서든 그 상황에서 빠져나와야만 했었거
든.

운동화를 신고 밖으로 뛰쳐나와 뒷동산을 오르는 것만으로는 부
족했고, 내 관심을 확 돌릴 만한 색다르고 강렬한 경험이 필요했던
찰나에, 우연히 거리 게시판에 붙여진 '행정복지센터 문화강좌 수
강생 모집' 전단을 보고는 이거다 싶었지.

춤에 춤 자도 모르는, 집에서만 쉬고 밖에서 사람들과 어울리지

도 못하는, 남들의 주목을 받기를 부담스러워하는 내가 춤을 배워 보겠다고 나서다니, 천지개벽(?)이었어.

　얼마나 떨렸는지, 댄스 강습 신청하러 주민센터 창구에 갈 때도 쭈뼛거렸고, 첫 수업 전날 밤에는 별의별 걱정으로 잠을 설쳤어. 활발한 성격도 아니고, 운동 신경도 둔한 사람이 생전 추지도 않았던 댄스를 따라 할 수 있을까. 우스꽝스럽게 춘다고 남들이 수군대면 어쩌지. 그런데도 춤의 즐거움을 나도 한번 맛보고 싶었어. 춤추는 사람들은 다들 유쾌한 얼굴인데, 나도 그들처럼 웃음 가득하게 밝아지고 싶다고.

(젓가락 봉춤~)

2_첫날

일단 내 목표는 잘 못 춰도 재밌게 뛰고 흔들고 털어내자, 스트레스를 풀고 오자, 였어.

반바지에 회색 티셔츠를 걸치고 집을 나온 난 행정복지센터 삼층을 향해 계단을 오르면서도 가슴이 콩콩 뛰었지. 경쾌한 음악이 흘러나오는, 열린 강당 문 앞에 도착했을 때, 발걸음이 멈칫거려졌어. 그 안에 아줌마들이 왔다 갔다 하며 하하 호호 얘기하는 모습이 보였어. 내가 저 세계 속으로 들어가 그들과 어울릴 수 있을까. 순간 등 뒤에서 계단을 올라오는 누군가의 인기척이 들렸고, 난 흠칫 놀라 떠밀리듯 발을 앞으로 내디뎠지.

난 맨 뒷줄에 뒷문과 제일 가까운 곳에 자리 잡았어.

곧 무대 위로 화려한 운동복을 입은 댄스강사님이 나타났고, 그녀의 힘찬 몸동작과 흥겨운 음악에 맞춰 모두 제각기 몸을 덜렁덜렁 흔들어대기 시작했어.

나도 그들의 몸짓을 흉내 냈지. 큰 동작만 모방하고 섬세한 동작은 건너뛰었어. 신나는 음악에 팔딱팔딱 뛰고 몸을 흔들흔들하면서, 아는 노래는 흥얼흥얼 따라부르기도 하니까, 어? 재밌네!

주위 눈치 볼 것도 없더라고. 내가 남 시선에 어떻게 보일까, 신경 쓰듯 그들도 자신들이 타인 눈에 어찌 비칠까, 생각하기 바쁘니까, 각자 본인 춤추기에 여념 없으니까 말이야. 호기심에 새 회원들을 힐끔 볼 수는 있겠지만, 그들이 나만을 뚫어지게 관찰하지는 않으니 걱정할 필요가 없더라고.

2시간 후, 온몸은 땀으로 흠뻑 젖었고 회색 티셔츠 겨드랑이는 오줌을 지린 것처럼 남사스러웠지 뭐야. 내일모레는 민소매나 검은 색 티셔츠를 입고 와야겠다.

첫째 날 소감을 정리하자면, 춤추면서 느끼는 재미가 60%, 동작을 못 따라가는 데서 오는 답답함이 40%를 차지했어. 춤에 춤 자도 모르는 왕초보가 첫날임에도 즐거움이 반 이상이니, 다음에도 참여할 동기부여는 됐어. 무엇보다 춤추는 동안만큼은 부정적인 잡념에서 벗어날 수 있어서 좋았어.

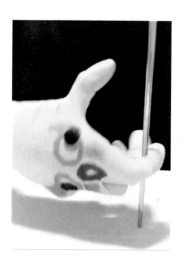

(가볍게 쓱~)

3_둘째 날

두 번째 수업부터는 동작을 따라가지 못하는 갑갑함을 더 자각
했어.

동네 주민센터에서 운영하는 다이어트 댄스 교실이라고 해서, 뽀
글뽀글 파마머리에 나이 지긋한 아줌마들만 있다고 예상하지는 마.
요즘 아줌마들은 우리 생각보다 훨씬 젊고 활기차고, 새로운 것을
받아들이는 이해도 빨라. 스몰에스, 네가 나이는 어리더라도 방구
석에서 오랫동안 멍하니 지냈었다면, 그녀들의 학습능력을 못 쫓아
갈 거야.

자꾸 한두 박자를 놓치거나 특정한 동작은 머릿속에서 정리가
안 돼 버벅댄다면, 어깨가 처지기 시작해. 이렇게까지 내가 몸치일
줄이야. 어서 매뉴얼을 익혀서 저들처럼 신나게 즐기고 싶다. (의
욕은 앞서는데, 몸이 따라주지 않는 그 간극은 롤러스케이트장에서
느꼈던 상대적인 박탈감과 비슷했어. 바람을 휙휙 가르며 커브를
능숙하게 도는 사람들이 부러웠지. 난 재활 운동하는 환자처럼
지지대 없이는 일어서지도 못하는데 말이야. 아기 걸음마에서 벗어
나 나도 빨리 머리카락을 휘날리며 달리고픈 성급한 바램과도 같
았지.)

그러나 초기 적응 문제는 시간이 지나면서 해결되니 급하게 초
조해하지 말았으면 해. 동작 틀렸다고 뭐라는 사람이 없거든. 저,
이것 틀렸어요, 손들고 자백만 하지 않으면 딴 사람들 내가 실수한

걸 잘 몰라. 각자 본인 춤추기에도 바쁘다니까. 반복수업이라 같은 매뉴얼을 여러 번 되풀이해서, 나중엔 동작이 자연스럽게 몸에 배게 돼.

주위 얘기를 들어보면, 강사님마다 특성이 달라 회원들과 보조를 맞추는 친절한 사람, 자기를 보고 따라오라는 식으로 끌고 가는 사람, 연예인처럼 화려한 스타일 등 다양하더라고. 문화교실 다이어트 댄스는 주부 대상이기에 애초부터 난도 높은 춤을 프로그램에 넣지는 않으니까, 대부분 한두 달 후면 춤추면서 느끼는 즐거움을 만끽할 거야.

(고난도 동작 ㅋㅋ)

4_초기 적응 이후

일주일에 2번, 하루 2시간 수업이었는데, 약간 몸치인 난 거의 **두 달**이 차서야, 춤추는 재미가 95%, 약간의 답답함이 5% 비율이 되었어.

남들 하는 수준만큼은 도달해, 큰 동작도 척척, 섬세한 몸짓도 착착, 어느 정도 따라 했지.

여러 사람과 음악에 맞춰 뛰기도 하고, 몸을 흔들기도 하고, 소리를 질러가며 노래 부를 적에, 즐거운 감정을 다 함께 공유하면서 일체감을 경험했는데, 그 순간만큼은 외롭지도 불안하지도 않았어.

특히 흥겨운 음악과 격렬한 율동과 치솟는 감정이 하나로 합쳐질 때, 말로 표현 못 할 어떤 희열이 활화산처럼 팡, 터지는 절정을 만났거든. 정신이 몽롱하게 훅 나갔다 오는, 저세상 텐션에 도달하는 그 찰나에는, 방구석에서 혼자 웅크릴 적엔 절대 경험하지 못할 신세계를 맛봐! 나를 짓눌렀던 어둑한 생각이 그 잠깐은 침범할 수가 없어.

땀을 흠뻑 흘리고 집으로 돌아갈 때는, 몸이 붕 떠오르는 양 가뿐가뿐해지며 콧노래가 룰룰루, 절로 나오지. 아, 재밌다!

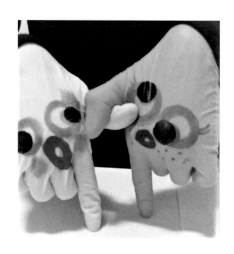

(커플 댄스)

몇 가지 패턴

다이어트 댄스에 적용되는 몇 가지 패턴이 있더라고.

예를 들면, 1)무슨 동작을 오른쪽으로 한 번 했으면, 그것을 똑같이 왼쪽으로도 한 번 하는 거야. 오른손을 뻗으며 오른쪽으로 두 발 내디뎠다 치면, 이 율동을 왼쪽으로 똑같이 반복해.

2)여기서 변형이 일어나면, 왼쪽으로도 움직임을 반복해야 할 상황에서, 왼손을 뻗으며 왼쪽으로 한 발 나아가다, 딴 데로 방향을 바꾸고는 돌발 액션을 취하는 거지.

(tmi)처음엔 스텝을 흉내 내기도 바쁜데, 여기에 손동작까지 겹쳐지면 위, 아래로 어영부영 쫓아가느라 정신없게 돼. 더 복잡한

스텝과 더 어려운 손동작에, 돌발 액션까지 치고 들어오면, 머릿속에서 대혼란이 일어나, 한두 번 봐서는 모르고 집에서 따로 안무동영상 '일시정지'를 수 번 눌러 반복연습을 해야 해. 나중엔 율동이 몸에 배, 노래 대목에 맞는 동작이 무조건 반사적으로 튀어나와.

한편 3)음악의 분위기에 따라, 노래가 경쾌하면 몸짓을 아기자기하게, 음악이 강하면 움직임을 힘차게, 리듬이 빠르면 몸놀림을 여러 번 민첩하게, 리듬이 길면 모션도 크게 펼치는 식으로 동작이 달라졌어.

———————————

이렇게

한두 달은 약간의 답답함을 갖고 적응하고, 그 이후부터 한동안은 춤추는 즐거움을 누리다가, 4개월째가 됐을 즈음엔, 슬슬 지루함이 찾아왔지. 색다르고 강한 자극일지라도 그것이 반복되면, 그역시 하던 일 똑같이 하는 일상으로 굳어지더라고.

난해한 스텝을 익힌다고 안무 동영상을 되풀이 보던 어느 날, 머릿속에서 땡, 종소리가 울리는 거야. 왜 이러고 있지. 스트레스를 풀려고 춤추는데, 시간과 에너지를 들여가며 스트레스를 받을까. 한 달만 지나면 배운 것도 잊고 원래 몸치로 돌아갈 텐데.

춤에 대한 장기적인 목표의식은 없었어. 내 관심을 확 돌릴 만한, 색다르고 강렬한 경험이 필요했었지. 춤추는 사람들은 다 밝게 웃는데, 나도 그 즐거움을 한번 맛보고 싶었었다고.

춤의 세계는 신났다, 체력이 좋아졌다! 춤 세상이 어떤 맛인가 두어 수저 맛은 경험했으니, 애초 목적은 이룬 셈이야. 다른 회원들처럼 더 배우고자 하는 학습 욕구가 샘솟는다든가, 찐 고구마를 나눠 먹으며 사람들과 어울리기를 좋아한다든가, 살을 빼거나 건강을 회복하려는 계획을 세웠다든가 하는 꾸준한 목적이 난 있지 않았기에, 그 정도면 충분했어.

생소한 몸짓을 익히는 과정을 거치고 춤추는 흥을 만끽하는 단계에 이르면서, 침울한 생각이 아닌, 춤이라는 밝고 재밌는 활동으로 관심이 자연스럽게 옮겨지면서, 나도 모르게 에너지가 한층 환해지고 체력이 나아졌음을 깨달았어. 춤이 어둠 속에서 나를 건져준 것만으로도 고마운 거야. 그렇다고 뭐 매일 춤만 추러 다닐 수는 없잖아.

(※춤의 건강 효과는 분명하니, 각자 상황과 페이스에 맞게 현명하게 즐겼으면 좋겠어.)

5_다이어트 댄스, 실제 체감 효과는?

춤에 춤 자도 모르는 왕초보, 춤 무경험자에게 조금이라도 도움될까, 싶어 일주일에 2번, 하루에 2시간 다이어트 댄스 수업, 5개월간 참여한 경험을 기준으로 춤의 실제 체감 효과를 정리해 보았어.

1) 정말 다이어트 될까?

재미있게 춤을 출 뿐인데, 빠르게 걷기나 자전거 타기 같은 유산소 운동보다도 칼로리 소모가 많아 군살 제거에 효과적이라는 다이어트 댄스, 정말 다이어트 될까?

평소대로 먹으면서, 일주일에 두 번 수업이라면 다이어트는 확되지는 않아. 현 상태에서 몸이 늘어지거나 살이 더 찌지 않도록 방지는 해 줘.

내 경우, 댄스 수업 참가 전과 후를 비교하면 몸무게 차이는 거의 없었지만, 여기저기 근육을 쓰면서 전체적으로 몸에 탄력감이 생겼었어. 물컹물컹 흐늘대던 종아리 살이 뼈에 야무지게 달라붙어 탄탄해졌었지.

또한, 체력이 좋아지는 변화를 체감했었어. 7층까지 계단을 오르면 다리가 후들거리고 숨이 헉헉 찼었는데, 수업 참가 몇 개월 후엔 헐떡대지 않고 목적지에 도달해 놀라웠어. 전에는 축 처지는 몸을 이끌고 이동하느라 힘겨웠었다면, 이제는 다리 뒤쪽에서부터 밀어 올려주는 근육의 탄력을 받아 걸음이 가뿐가뿐 수월해지니까, 몇 층 더 오르겠더라고. 체력이 향상했구나, 뿌듯했었지.

---

2) 우울함이 해소될까?

내 생각엔, 30% 정도는 우울한 기분이 떨어져 나가.

춤을 잘 추든 못 추든 간에, 경쾌한 음악에 몸을 움직이는 것 자체만으로도 일단 재밌어. 한 공간에서 여럿과 펄쩍펄쩍 뛰고, 몸을 마구 흔들기도 하고, 아는 노래는 따라도 부르면서, 즐거운 감정을 다 같이 경험하는 그 순간만큼은 외로움도 걱정도 떨쳐버려. 온몸을 짓눌렀던 무거운 압력이 풀어져 나가면서, 자유를 얻은 해방이랄까. 몸이 붕 떠오르는 양 가벼워지고 콧노래가 절로 나오지, 룰루랄라 신나라!

새로 들어온 회원들이 달라지는 모습을 봐도 알았어. 처음엔 그들은 근심에 쌓인 어스름한 얼굴로 칙칙한 색 티셔츠를 걸치고 맨 뒷줄에서 서성거렸었는데, 2주만 지나도 그들의 낯빛이 한결 밝아지고, 움츠렸던 어깨도 펼쳐졌으며, 몸매가 드러나는 과감한 옷을 입고 나타나 주변인들을 놀라게도 했지. 몸에 들러붙었던 음침한 기운이 한 꺼풀 떨어졌고, 생활에 밝은 활력을 찾아가고 있었어.

뒷줄이 아닌, 앞줄로 나와 강사님의 동작을 하나라도 놓치지 않으려는 의지를 내비치기도 했어.

　희한하게 춤을 추면 풍선처럼 몸속에 바람이 들어간 것 같아. 허파에 바람이 들기라도 한 기분이랄까(허풍ㅋㅋ). 집에 돌아와서도 흥겨운 음악이 머릿속에 맴돌아 콧노래를 계속 흥얼거리고, 몸속에 춤출 때 출렁였던 진동 여파가 아직도 남아 어깨가 동실동실해지지. 즐거운 파동에 둘러싸여 감정이 봉봉 들뜬 상태가 길게는 3일은 지속해.

　춤이 우울증에 효과를 발휘하는 이유가 이해되는 것이, 우울증일 때는 생각도 몸도 물에 젖은 솜이불처럼 가라앉아 종일 누워만 있으니, 감정도 몸도 봉봉 들뜨게 만드는 이 쾌활한 춤이 처방책이 될 수 있단 말이지. 내 경험상, 최단기간 안에(임시방편으로나마) 우울함에서 벗어나고자 한다면, 뒷동산 산책이나 일반적인 운동보다 신나는 춤이 효력이 좋았어. 우울한 기분이 30%는 떨어져 나가는 듯했거든. 물론 개인마다 차이나서 만족도의 결과치는 다르겠지만.

(하트 만들기)

3) 춤의 역효과를 굳이 꼽는다면?

위(2)와 같은 이유로, 춤의 역효과가 나타나기도 해. 스몰에스, 네가 집으로 돌아와 청소나 설거지를 하거나 몸을 약간씩 움직이는 취미활동을 할 상황이면, 춤의 여흥이 일상생활에 능률과 활력을 주지만, 네가 책상 앞에 앉아 정신적인 작업에 몰두한다면 얘기가 달라져. 책을 펴고 공부해야 하는데, 머릿속에서 자꾸 신나는 노래가 맴돌고 엉덩이가 들썩거려지면, 그 요동치는 감정을 진정시켜야 하기 때문이야. 잔잔한 음악을 흐르게 해 차분한 분위기를 조성해야 할는지도 몰라.

※그런데도, 춤의 건강 효과가 춤의 역효과보다는 훨씬 뛰어나

니, 각자 상황과 컨디션에 맞게 댄스를 현명하게 즐겼으면 좋겠어.

(공중 하트 만들기 ㅋㅋ)

6_막춤

어떤 관점에서 보면, 모든 형식을 무시하고 아무런 매뉴얼도 없이 몸 가는 대로 막 추는 막춤이 최고야! 음악에 몸을 맡기고 느낌 따라, 제멋대로 온몸을 흔들어 재끼는 막춤이 스트레스를 날리는 데 좋아.

얼마나 편하고 자유스러워. '전국노래자랑'에서 아저씨들이 오징어처럼 징그럽게 추는 춤, 살림만 하던 아줌마들을 해방케 하는 관

광버스 춤, 할머니들이 마당에서 얼쑤얼쑤 좋다, 추는 막춤 말이
야.

스몰에스, 너도 집에서 막춤을 춰 봐! 음악의 파도에 온몸을 내
맡기고 마음대로 흔들어봐! 노래 볼륨 키우고, 팔짝팔짝 뛰고, 소
리 지르면 아래층 사람이 놀라 뛰어오니, 이어폰 꽂고, 쿵쾅거리지
말고 제자리에서 왔다 갔다, 쿵짝, 쿵짝, 둠칫, 둠칫, 두둠칫. 그런
대로 재밌어. 내 멋대로 머리, 팔, 허리, 엉덩이, 다리 있는 대로
뒤흔들어봐. 그런대로 흥겨워.

코로나바이러스 때문에 외출이 꺼려진다면, 집에서 신나는 춤으
로 우울한 기분을 날려 보내자.

그럼 즐거운 하루 보낸 후, 다음 어느 시간에 또 만나~^^☆

-2020년 3월 15일 대문자S가-

✤ 10번째 편지
_빨주 초파남보, 색채 마술

2020.5.12. 22:30

(날씨마저 우울했던 봄)

스몰에스, 그동안 잘 지냈니?

대청소하고, 뜻밖에 찾아온 꼬마 손님을 맞이하고, 간만에 바깥 나들이를 하느라, 이제야 너에게 편지를 쓴다.

5월 중순, 뒷동산엔 진작에 분홍색 진달래가 피었었지만, 올해는

봄이 애초부터 안 온 듯한 이 느낌은 아직도 사라지지 않은 코로나바이러스 때문이겠지.

날씨마저 작년 봄보다 구름 낀 날이 많고 체감온도도 쌀쌀하지 뭐야. 회색 구름처럼 마음마저 우중충해지는 요즘, 생기발랄한 화사한 컬러로 그림을 그리며 '코로나 블루'에 대처하는 건 어떨까.

———————————

1

방에 가만히 있노라면 더 우울해져. 한숨이 쉬어지고 가슴이 허하니 내려앉으며, 안 좋은 생각이 순식간에 머릿속을 삼키잖아.

손을 움직여 뭔가를 만들어내는 창작 놀이를 하면, 눈길이 손에 잡고 꾸미는 대상으로 옮겨짐에 따라, 관심도 그쪽으로 쏠리면서, 탁한 생각에서 한 틈 벗어나게 되더라고.

1)심리적으로 어려울 때, 미술 활동을 통해 힘든 감정을 밖으로 표출하기만 해도 스트레스가 완화한다고 해. 초조하고 침울할 적에 단순히 참기보다는, 그림 그리거나 낙서하거나 점토로 뭔가를 꾸미면서, 마음의 상태를 표현하면 심리적으로 안정을 찾아가. 2)미술과 같은 창조적인 활동에 몰입하는 동안에는 신체에 불안감이나 공포감을 개선하는 신경전달물질이 증가해, 내면의 갈등을 극복하는 치유력이 생기기 때문이라네.

2

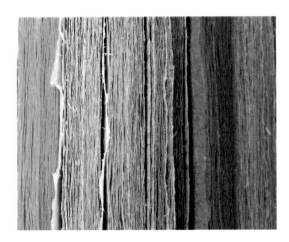

(자연스러운 색상, 한지)

또한, 컬러테라피로 각 색채가 인체에 미치는 특성을 필요에 따라 활용하면, 스트레스를 줄이고 삶에 활기를 얻어.

우울한 사람은 따뜻한 색상을 가까이하면 좋아. 슬프고 걱정스러운 상태에서는 특정 신경전달물질이 낮아지기에, 뇌에서 정보 교류가 원활히 이루어지지 않아 감정 장애로 이어질 수 있어. 붉은색 계열의 따스한 색상이 자율신경계를 활성화해, 신체 에너지를 상승시키는 작용을 해.

4)의욕이 없고 무기력할 땐 혈액순환을 자극해 활력을 높여주는 빨강을, 상실감에 빠졌거나 정신력이 필요할 때는 따뜻하고 명랑한 주황을, 긴장 상태가 높을 적엔 호흡을 편안하게 해 주는 사랑스러운 분홍을, 긍정적인 에너지를 원한다면 가장 밝은 빛의 생기를 불어넣어 주는 노란색을 활용하면 효과적이야.

(왼쪽부터, 두근두근, 비 맞은 빨강 우산, 따뜻하고 명랑한 주황색 자몽주스, 부드럽고 사랑스러운 분홍색 봄꽃)

특히, 노란색은 태양과 같은 빛의 컬러로, 5)빛을 끌어당겨 발산해, 주변 분위기를 환하게 바꿔주고 부정적인 생각을 몰아내므로, 6)우울증에 가장 좋은 컬러라고 해. 요즘 우울해, 에너지가 다운돼 힘이 빠져, 빛이 필요하다면 노란색을 사용해 봐. 노란색 소품을 가까이 두거나 옐로우 의상을 입는 것만으로도, 기분이 한결 나아질 테야.

(햇빛처럼 쨍쨍 빛나는 샛노란 민들레꽃)

3_컬러링북

나 역시 색칠 놀이를 통해 심신이 안정되는 효과를 체험했었지.

가슴이 공허하니 혼탁한 생각에 잠기려던 어느 날, 문득 손에
크레파스를 잡고 색칠을 하고 싶어지더라고.

빈 종이에 뭐든 떠오르는 대로 스케치한 후 색연필로 칠했어.
눈길이 장미 꽃잎에 옮겨지고, 분홍색이 괜찮을까, 빨간색이 좋을
까, 이 옆에는 보라색이 나을까, 남색이 어울릴까, 신경이 이쪽으
로 몰리니까 먹구름 같은 잡념이 멈춰지고, 색다른 생각을 하게 해

줬어.

혹시 백지에 뭘 그려야 할지 막막하다거나, 열심히 흉내 냈음에
도 실물과는 딴판으로 나와 노력에 대한 만족을 얻지 못할 것 같
다거나, 밑그림을 그리는 자체가 귀찮다면, 스케치가 완성된 컬러
링북이 괜찮을 거야.

(선으로 그린 그림이 인쇄된, 컬러링북)

좋아하는 음악이나 동영상을 청취하며, 고소한 카페라테를 마시
면서 컬러링북에 예쁘게 색칠해 봐.

도안이 세밀해서 종이에 칠해지는 면적이 작은 색연필이 적당한
데, 집에 그것이 여섯 가지 색밖에 없더라고. 어린 조카가 쓰던 파
스넷은 종이에 닿는 크기가 넓어 컬러링북에는 알맞지 않지만, 그
런대로 색연필과 섞어 가며 사용했어. (파스넷 색연필도 생겼다만은.)

(마음대로 색칠놀이)

옛날 크레파스는 칠할 때 뻑뻑해서 스케치북 한 장을 다 채우는데 시간도 힘도 꽤 걸렸었지. 쓰다가 닳으면 크레파스를 싼 종이 포장지를 뜯어가며 칠하느라, 손가락에 색 가루가 묻어 지저분했었고.

요즘 초등학생들이 사용하는 파스넷은 크레파스보다 훨씬 매끄러워, 칠하면서 기분이 좋아져. 색상도 탁하지 않고 진하고 선명해. 플라스틱 손잡이 부분을 나사처럼 돌려 내용물을 꺼내 이용하기에, 색 가루가 손에 덜 묻어 깔끔하게 그릴 수도 있지.

(그냥 색칠만 해도~)

분홍색 파스넷이 종이 위를 미끄러질 때, 부드러운 칠감을 손끝에서 느끼면서 마음이 안정돼 갔어. 진달래꽃 색깔에서 퍼져나오는 화사한 기운이 가슴팍으로, 얼굴 위로 화아~하게 올라와, 감정까지 꽃처럼 핑크롭게 밝아졌지~

선 밖으로 튀어 나가지 않도록 주의해서 색칠해야지, 눈과 손과 생각이 한곳으로 모아질 적에, 내 안에 어수선하게 떠돌던 불안감이 사라지고, 어디에 둘지 몰랐던 공허했던 마음이 하얀 종이 위로 차분하게 안착했거든. 다음 공백 구역은 초록색이 적당할까, 민트색이 나을까, 생각의 초점이 당장 여기 와 머무르니 이 순간만큼은 어두운 상념에서 한 걸음 물러난 셈이야.

(내일이면 완성하겠다.)

뭔가를 할까, 말까, 머릿속에서 갈등이 파도칠 적에는, 정신이 혼란해서 그 영향이 손까지 파르르 떨리게 했어. 색칠이 밑그림 선 밖으로 자꾸 삐죽삐죽 튀어 나가더라고. 그림이 지저분하다면, 그 부분을 손댔던 당시 내 심리가 뒤숭숭했었구나, 알겠더라고.

컬러링북 한 장 끝내는 데에, 잠깐씩 쉬엄쉬엄하면 이삼일 걸려. 처음엔 조밀하게 붙은 각 구역을 언제 다 채우나 싶다가도, 한칸 한칸 색깔을 조합하다 보면 다양한 분위기가 연출되는 모습이 재미나서, 그 과정을 즐기게 돼. 며칠 후에 그동안 들인 노력에 대한 결과물을 눈으로 확인할 땐, 나도 뭔가 하나 완성해냈다는 뿌듯한 성취감을 맛봐.

알록달록, 롤리팝처럼 달콤하고 즐거운 색상들의 하모니를 감상하며, 입가에 씩, 미소가 지어지지.

———————————

4_끌리는 색

컬러링북 도안에 색칠할 때, 정해진 틀 안에서 내가 움직여야 한다는 무언의 압박감을 느낀다면, 그러니까 선으로 복잡하게 나눠진 구역들을 한 칸씩 색칠할 적마다, 이 선을 넘어 다른 칸을 침범해서는 안 된다는 강박감이 생겨 불편하다면,

(선을 넘어 색칠해서는 안 된다는, 무언의 압박을 느낀다면)

빈 종이에 밑그림 없이, 아무 색이나 골라 색칠만 해. 색 조합을 고민하지도 말고 낙서처럼 아무렇게 칠하기만 해도, 답답함이 풀리면서 사각 백지 안에서나마 훌훌, 자유로움을 느껴.

한편, 인간은 색을 통해 자신에게 필요한 에너지를 취하고자 하는 본능이 있어서, 끌리는 컬러를 곁에 두고 보는 것만으로도, 심리적으로 안정되고 스트레스가 완화된다고 해.

정말, 컬러가 마술을 부리듯 눈길이 자꾸 가는 색을 가까이하니 기분이 나지지 뭐야. 요즘엔 라벤더색이 그냥 좋더라고. 순색 보라

는 찐해서 부담스러운데, 보라에 우유색이 섞인 파스텔톤 라벤더색은 부드럽잖아. 흰 종이에 동그랗게 칠해 바라만 봤을 뿐인데, 음~ 예쁘네~ 미소가 지어졌어. 라벤더색에서 흘러나오는 독특한 빛깔 에너지가 가슴팍으로 얼굴 위로 와 닿으면서, 어수선하게 출렁였던 불안감이 진정되었지. 흠흠, 어딘가에서 청량한 라벤더 향기가 솔솔 피어나오는 양 기분전환도 되고 말이야.

(2023년에서 날아온 거울1)

(2023년에서 날아온, 매니큐어로 그린 거울2)

끌리는 색(1)

인간의 몸은 산소, 탄소, 수소, 질소, 칼슘, 인, 철, 나트륨 등등 수십 가지 동위원소로 구성됐고, 그 성분에 따라 색이 다르게 발산한다.

내 **몸에 어떤 요소가 많으면, 그 성분을 포함한 색상을 좋아**한다. 몸에 분홍색 인자가 많으면, 분홍색에 이끌려서 분홍색 옷을 즐겨 입고, 기분이 업된다.

이와는 다르게, **내게 부족한 에너지를 채우기 위해 특정 색을 찾기도** 한다. 비타민이 결핍되면 비타민을 챙겨 먹듯, 자기에게 모자란 데를 메우기 위해 어떤 색깔을 선호한다.

어르신들이 강렬한 원색을 좋아하는 이유가, 나이 들면 한쪽으로 치우치니

77

약한 데가 생겨서이다. 정열이 부족해져서 열정적으로 보이고자, 빨간색 옷을 입고 입술도 새빨갛게 칠하는 것이다. 젊은이들이 가진 활력이 떨어졌으니, 강한 원색으로 외양적인 치장을 함으로써 그 빈약함을 보완하려는 것이다.

라벤더색을 좋아하게 된 계기가 우연찮았어. 겨울에 웃풍이 세서, 창문에 무릎담요를 걸쳤었는데, 공교롭게도 그것이 라벤더색이었지.

방에 가만히 앉아 있으면, 시선이 창문으로 빈번히 옮겨지잖아. 라벤더색 무릎담요를 바라보노라니, 자잘하게 요동쳤던 초조함이 쓱 내려앉으며 차분해지더라고.

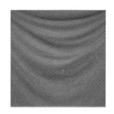

(창문에 걸쳐놓은, 라벤더색 무릎담요)

수많은 생각이 꼬리에 꼬리를 물고 이어지는 어느 밤은 이리 뒤척, 저리 뒤척 잠을 이루지 못해. 물론 라벤더색을 쳐다본다고 불면이 사라지지는 않아. 이 색깔에서 풍겨 나오는, 포도처럼 쌉싸름하며, 라벤더 향같이 청량한, 우유처럼 부드러운 에너지가 혼란스러운 감정이 날뛰지 않도록 한풀 눌러준다고나 할까.

보라색의 효능[8]

보라는 고상하고 이상주의적이며 예술적인 색으로, 상상력과 창의력이 필요한 작업에 효과적이다. 내면을 돌아보는 여유를 주고, 새로운 출발을 돕는다. 라벤더색 같은 연한 보라색 식물이나 소품을 곁에 두면, 스트레스와 두려움을 해소하는 데 좋다. 연한 보라색이 불안을 완화하고 마음을 편안하게 유도하므로, 침실과 서재에 사용하면 적절하다.

그러나 순수한 보라색을 과도하게 사용하면, 현실 도피와 방종의 성향을 자극할 수 있어, 술을 많이 마시는 곳이나 신경 불안 증세 사람들이 있는 곳에서는 피해야 한다.

컬러심리에서 본,
보라색을 좋아하는 사람의 특색

보라는 감각적이고 자유로운 사람, 예술성이 있는 사람들이 선호하는 색상이다. 부정적으로는 감정 기복이 심하거나, 정신이 혼란스럽거나, 힘이 빠질 적에 이 컬러에 이끌리기도 한다.

아이디어, 직관력이 필요할 때, 감각을 넓게 사용해 예술성을 펼치고자 할 때 보라색에 매료된다. 그와는 다른 의미로, 요즘 왠지 모르게 보라색에 끌린다면 내가 감성이 풍만해지고 감각적으로 눈이 뜨이고 있다는 신호이니, 머릿속에 하고 싶은 일이 반짝 떠오른다면, 그 아이디어를 자유롭게 실행해 보는 게 좋다.[9]

형이상학적으로 더 살펴보면, 바이올렛 유형은 돕는 자, 내어주는 자 그리고 변혁자의 의미가 있다. 이들은 도움이 필요한 사람에게 관심을 가진다. 그러나 이들이 진짜 관심

있는 건 바꿔놓는 것이다. 어둠에 있는 사람이 밝은 세상으로 나올 수 있도록 변화 시켜
주는 일이다.

또한, 보라색을 좋아하는 이들은 영적 에너지가 많고 눈에 보이지 않는 정신적 세계에
주목한다. 가치 있는 삶을 살기 위해서는 무엇을 해야 할까, 어떤 일을 할 때 내 존재가
의미 있을까, 스스로 물어보는 사람들로 물질세계 너머의 가치를 중요시 여긴다.[10]

_____

5_컬러에너지

주위 환경의 색상이 정서에 어떤 영향을 주는지, 컬러의 힘을
당장이라도 확인이 가능해.

이 글을 쓰다가, A4용지에 분홍, 노랑, 주황, 민트색 등 밝은색
을 동그랗게 칠해서는 노트북 옆에 세웠거든. 이따금 타이핑을 멈
추고 허공을 응시하면, 한숨이 쉬어지고 가슴이 공허해지는데,

(노트북 옆에서 기분을 살려주는 컬러)

밝은 컬러를 곁에 놓으니까 분홍색, 노란색에서 흘러나오는 화사
한 에너지가 가슴팍으로 얼굴 위로 화아하게 올라오면서, 입꼬리를

올라가게 해 줬어. 라라라~ 경쾌한 색상들이 침울한 기분에 끌려 가지 않도록, 감정을 밧줄로 당기듯이 끌어올려 붙잡아주더라고.

　액자, 벽지, 가구, 옷, 액세서리 등 인테리어나 패션 영역으로 범위를 넓혀, 색채 특성을 일상생활에 적극적으로 활용한다면, 컬러가 주는 긍정적인 에너지를 더 효율적으로 흡수할 수 있을 거야.

(2023년에서 날아온, 매니큐어로 그린 거울3)

(2023년에서 날아온, '원추리'11) 꽃을 모델로 한 거울4)

스몰에스, 괜스레 헛헛하고 우울하니?

좋아하는 음악이나 동영상을 들으면서, 컬러링북에 색칠해 보아.

(빨주노초파남보. 색칠 놀이 재밌다~)

밑그림 없이 끌리는 컬러를 골라 자유롭게 칠만 해도 좋지.

손을 움직여 색칠하는 동안, 색깔에서 뿜어나오는 빛 주파수의 힐링 에너지를 받으며 심신이 편안해져. 전혀 기대하지 않은 것에 비하면, 컬러가 주는 위로와 긍정의 힘이 생각보다는 클 거야.

오늘은 여기까지.

그럼, 다음 어느 시간에 또 만나~^^☆

-2020년 5월 12일 대문자S가-

✳✳✳✳✳✳✳✳✳✳✳✳✳✳✳✳✳✳✳✳✳✳✳✳✳✳✳✳✳✳✳✳

- 시간 잠깐 멈춤, 타임 지표 라인 -

✳✳✳✳✳✳✳✳✳✳✳✳✳✳✳✳✳✳✳✳✳✳✳✳✳✳✳✳✳✳✳✳

✱13번째 편지
_취미생활_내 안에 또 다른 내가 자란다

2021.5.12. 24:29

안녕, 스몰에스!

정말 오랜만이야, 얼마 만이지?

작년(2020년) 5월에 '빨주노초파남보, 색채 마술'에 관해 얘기한 후, 새로 돌아온 5월이 됐으니 1년만인가! 세월이 빠르구나. 그동안 여러 일이 있었어. 여전히 집콕생활이 대부분이었긴 했지만, 밖에도 들락날락하고 이런저런 다양한 취미활동을 했었지.

그 당시 컬러링북 색칠을 하다가, 관심이 색깔과 연관된 만들기 놀이로 자꾸 나아갔지 뭐야.

컬러 재료를 가지고 손을 움직여, 뭔가를 자유롭게 꾸미는 활동이 재밌더라고. 머릿속에 꿈속 환영처럼 탁, 떠오르는 어떤 형상을, 색 포장지를 자르고 붙여서 눈앞에 실재하는 사물로 나타냈을 때, 그 결과물이 괜찮거나 예상과는 다른 반전이 연출돼 흥미로웠어.

하나의 아이디어가 떠오르면, 그와 연관한 또 다른 아이디어가 꿈속 이미지처럼 연이어 나타나니, 그것 역시 눈앞에 보이는 실체로 표현하고픈 호기심이 생겨나, 한동안 그 흐름을 못 끊겠더라고.

✽✽✽✽✽✽✽✽✽✽✽✽✽✽✽✽✽✽✽✽✽✽✽✽✽✽✽✽✽✽✽

✽1
__포장지 활용 놀이

1_포장지 커튼

그 발단이 포장지 커튼이었어.

작년 늦봄 어느 날, 방에 가만히 앉아 빈 창문을 바라보다가, 예쁜 종이로 커튼을 만들어 달면 괜찮겠다, 싶었지. 호기심 반 재미 반으로 한지, 부직포, 플로드지(꽃포장지)를 사 창문에 꾸몄어.

부슬부슬한 촉감에 안이 비치는 부직포가, 쉬폰 커튼 분위기를 어설프게 흉내 내다니(물론 부직포 재질 자체가 붕 뜨기에, 쉬폰처럼 차분하지는 않아. 싱크로율은 약 56%정도). 얇은 필름 막이 쓰인 반투명 플로드지가 햇빛을 만나, 스마트폰 사진 편집의 필터 효과를 적용한 듯 회화적인 비주얼이 생겨날 줄이야, 몰랐지. 둥글게 말린 분홍색 플로드지 안에 햇빛이 머금으면서 방 안 전체적인 분위기가 아늑해졌을 뿐만 아니라, 핑크빛이 주는 온화하고 사랑스러운 컬러 테라피 효과까지 얻어, 초가을까지 꽃포장지 커튼을 떼지 않았었어.

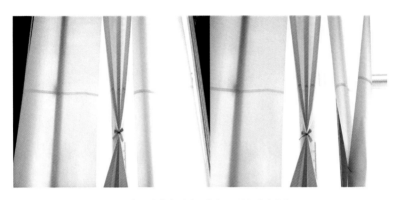

(플로드지는 햇빛과 만나, 필터 효과를 나타내네)

(아늑하고 편안한 한지 커튼~)

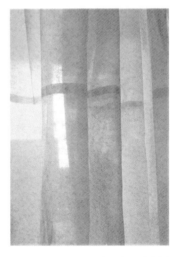

(부직포가 쉬폰커튼을 어설프게 흉내내더니.)

2_컵받침과 앉은뱅이책상

1)커튼을 만들고, 남은 포장지 조각으로 무엇을 활용할까, 생각하다 컵받침이 괜찮겠더라고.

자투리를 적당히 잘라, 약간의 물기가 닿아도 안심하게, 투명비닐포장지로 싸 주면 끝. (실용성은 그다지 보장 못 하겠지만)

(자투리 포장지를 적당히 잘라, 투명 비닐로 씌우면, 은은한 한지 컵받침 완성)

은은한 한지 컵받침은 도자기 찻잔에 차분히 잘 어울리더라고.

반짝이는 은색 펄 포장지 컵받침을 유리잔에 사용하니, 아래서 반사광이 조명처럼 올라오는 예상치도 못한 재밌는 모습도 만나기도 했지.

(반사광이 올라오는 필포장지 컵받침)

2)면적이 넓은 남은 포장지로는, 시트지가 찢기고 누렇게 변색한 옛날 앉은뱅이책상을 둘러쌌어. 남색 플로드지를 먼저 두르고, 분홍색 장미 한지로 디자인에 변화를 준 후, 비닐포장지로 그 위를 덧씌우니, 새 티테이블로 변신했지 뭐야. 꺼내놓기 민망했었던 오래된 앉은뱅이책상을 거실에 두고 사용할 수 있어 뿌듯했어.

(옛날 앉은뱅이책상이 새 테이블로 변신!)

3_그 외 재밌는 포장지옷

　인형옷 꾸미기처럼, 재미 삼아 포장지옷도 만들었어. 포장지옷을
입고 살지는 않을 테니, 대충 모양만 내서 잠깐 느낌만 맛봤어.

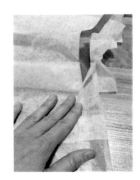

(주름 잡아)   (끈을 달면)

(풍성풍성~ 부직포 치마~)

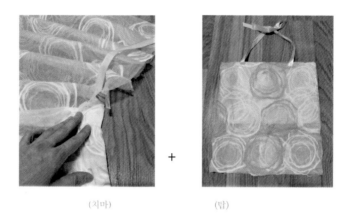

(치마)　　　　+　　　　(탑)

(하늘하늘~ 꽃처럼 예쁜 한지 투피스)

4_생각이 자란다

끌리는 일을 좋아서 하니, 나도 몰랐던 내 안에 잠자던 본능적인 감각이 깨어나는 걸 보았어. 아, 이런 데에 흥미가 있었나, 요런 소질을 가졌었구나, 또 다른 자아를 새롭게 발견하기도 했지.

또한, 몸속에 머물러 뭉친 어떤 에너지가 만들기 놀이를 통해, 그것이 움직이며 밖으로 풀려나가면서 갑갑함이 해소되는 일종의 해방감을 느꼈어.

유치해 보이는 혼자 놀이라 할지라도, 하나의 결과물이 나오기까지 나름 시행착오를 겪었는데, 그 과정을 거치면서 생각이 조금씩 성장하는 발전을 경험했어. 이건 불편하니 다른 방식으로 해 볼까, 부닥친 문제를 어떻게 해결할까, 그 자문에 집중하면, 거기에서부터 또 다른 생각들이 가지를 치고 자라 나와, 결핍을 보완할 아이디어가 자연스럽게 생겨나더라고.

예를 들어)

커튼을 만들어 매달 적에, 상황에 따라 어떻게 생각이 뻗어 나갔는지 살펴볼게. (하나의 예시이니 이러이러했구나, 참고로만 봐줘.)

빈 창문에 예쁜 종이를 사다 달면 괜찮겠다.

↓

내 손으로 간단히 커튼을 걸 방법이 없을까.
벽을 뚫지 않고, 종이 커튼을 창문에 달 수 있을까.
커튼봉과 커튼걸이를 대체할 만한 것이 뭐가 좋을까.
창문 가로 길이 정도의 긴 막대 또는 끈, 갈고리가 달린 무엇.
창문틀 양 끝에, 벽걸이를 붙이고, 끈을 매달면 되겠다!

↓

창틀 양 끝에 벽걸이를 부착한 후, 리본 끈을 벽걸이에 묶어, 그것에 포장지를 달았더니, 리본 끈이 힘이 없어 포장지 커튼 무게를 못 이기고 아래로 늘어졌다.

↓

창문 중앙 위쪽에 벽걸이 한 개를 더 붙여, 아래로 늘어지는 리본 끈을 위로 끌어당겨야겠다. 그랬더니, 전체 모양은 그럭저럭 유지됐으나 커튼의 통로를 중간 벽걸이가 방해하는 문제가 발생했고, 리본 끈이 언제 또 처질지도 몰랐다.

↓

힘없는 리본 끈을, 더 단단한 철사로 교체하자.
철사가, 미끈거리는 리본 끈보다 커튼봉 역할을 잘 해냈다. 가벼운 커튼을 사용하는 데는 무리가 없었으나, 두터운 재질을 매달 땐 철사 역시 무게를 못 이기고 아래로 내려갔다.

↓

얇고 긴 막대를 구하면 좋겠지만, 창문 가로 길이만 한 막대를 주위에서 찾을 수가 없었다. 이럴 바에 생활용품매장에서 몇천 원짜리 커튼봉을 구입하자.

↓

벽걸이에, 길이가 조절되는 얇은 커튼봉을 거니 괜찮았다.

길이를 조절하는 이음새 부위에서 커튼봉의 높이 차이가 약간 생겨서, 커튼이 그곳을 지나갈 적마다 걸리적거렸지만, 그 이음새의 위치를 사용하지 않는 창문 쪽으로 방향을 돌려놓으니, 문제는 해결되었다. 창문이 두 짝이더라도 자주 쓰는 쪽은 대개 정해졌고, 커튼도 그곳으로 더 여닫으니까.

↓

그 후, 커튼 천을 대체할 다양한 아이템을 시도해 보았다. 한지, 부직포, 플로드지 등 포장지를 사용하거나, 몇 년째 착용하지 않는 오버사이즈 롱스카프를 커튼처럼 창문에 걸기도 했다.

↓

여러 아이템을 활용한 결과, 가장 저렴하고 실용적이며 동시에 가장 보기 좋았던 아이템은 식탁보 커튼이었어. 반투명에 얇은 방수 재질의 식탁보는 쉬폰 커튼과 싱크로율이 거의 70%이었어. 그럼에도 방수 원단보다는 천 종류가 아무래도 통풍 면에서 나았고, 그 중에서도 레이스 식탁보는 보기에도 예쁘고 시원했지.

식탁보 한 장이면 일반 주택 작은 방 창문을 커버할 수 있는데,

주름을 풍성히 넣고 싶다면 두 장으로 하면 되겠어.(2021.4.1.)

(시원하고 예쁜 레이스 식탁보 커튼)

(쉬폰 느낌을 내는 반투명 방수재질)

(레이스 식탁보)

2023년에서 날아온(식탁보커튼 + 매니큐어로 그린 꽃무늬(거울+찻잔))

이렇게, 포장지커튼을 시작으로 포장지컵받침, 포장지시트지, 포장지옷까지 꼬리에 꼬리를 물고 아이템에 대한 아이디어가 가지를 치고 자라났고, 머릿속에 환영처럼 떠오른 이미지를 따라 이런저런 재료를 사용해 눈앞에 보이는 실체로 형상화할 때에는 시간 가는 줄도 몰랐어. 우울한 생각이 머릿속을 침투할 수가 없었어, 의식하지 못한 사이, 어두운 늪에서 두어 발치 떨어진 나를 발견할 수 있었지.

✿2
핸드폰 사진 찍기

시간을 잊을 정도로 몰입하게 하는, 일반적인 취미활동으로는 사진 찍기가 좋아.

사진찍기를 즐기면 여러 측면으로 긍정적인 효과를 얻어. 야외로 나가 걸으니 운동도 되고, 자연의 신선한 기운을 흡수하여 내게 모자란 에너지도 보충해. 사진을 찍는 데에 집중하는 동안은 잡념이 사라지고, 사진이라는 예술을 통해 내면에 잠재된 미적 감각이 깨어나기도 하며, 이 동네 저 동네 다채로운 환경을 접하면서 세상 보는 시야도 넓어져. 프레임 안에 담기는 풍경과 인물을 관찰함으로써 새로운 통찰도 갖게 되지. 무엇보다 찍으면 찍을수록 재미나니, 일석삼조 그 이상이야.

1_일단 막 찍어봐
재미 삼아 혼자 찍는 거니까, 못 찍어도 상관없지.

요리조리 여러 장을 찍어놓고, 나중에 집에 가 확인하면서 괜찮은 컷만 남기면 돼.

길을 걷다, 마음에 드는 풍경을 만나면, 발길을 멈추고 주머니에서 핸드폰을 꺼내 들어 올려. 카메라 화면이 떨리지 않게 숨도 참아가면서 가만, 가만, 그대로 있어 봐. 눈과 손과 호흡 그리고 생각까지도 프레임에 든 대상에 집중하는 찰나, 지금이야, 찰칵! 순간 포착이 제대로 잡혔다면, 눈이 번쩍 뜨이고 입가에 미소가 번져.

와, 자연이 예술이구나! 그림처럼 아름답다!

(자연이 예술이야)

2_재발견

 찍은 사진을 나중에 다시 확인하면서, 당시에는 몰랐던 무언가를 숨은 그림처럼 뒤늦게 찾을 수 있어. 또한 촬영현장에서 어떤 순간에 우연히 바라본 자연현상의 형태가, 우리가 관념상 아는 물체 또는 동식물 모양과 흡사해, 자연에서 또 다른 자연과 사물을 연상하는 소소한 재미를 발견하기도 했지.

(쌍둥이 나무)

나뭇가지 위에 이상한 게 찍혔네. 뭐지? 검은 양말인가?

어머나, 청설모가 거기 있었구나!

(나무뿌리)   1)(이미지:pixabay)

나무 뿌리 모양이 꽈리를 튼 뱀 같지 않아?

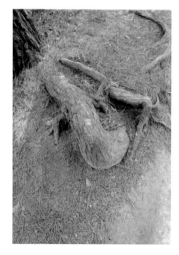

뒷동산에 악어가 나타났다! (나무뿌리)   2)(이미지:pixabay)

이건 어슬렁어슬렁 기어가는 악어와 비슷하지.

(코뿔소야, 뿔 어디 갔니?)　　　　　3)(이미지:pixabay)

또 이것은 뿔 잘린 코뿔소처럼 생겼고.

(싸우는 호랑이) 4)(이미지: iStockphoto)

나란히 자란 나무가 호랑이 두 마리가 어흥! 입을 벌리며 서로 싸우는 모습처럼 보였어.

다음 사진은 무얼 닮았나 상상해봐.

이 사진 찍을 때, 구름이 생각보다 너무 빨리 멀어져가서 뛰어
가면서 촬영했어.

구름 모양이 신기하게도 UFO처럼 생겼지!

이걸 보면, 우주 너머 어딘가에 외계인이 정말 존재할 것만 같
지 뭐야.

이렇게, 자연적으로 아무렇게 자란 나무가 동물처럼 생겼고, 어
쩌다 올려다본 하늘의 구름 모양이 UFO 형태 같았으니, 희한했어.

주변 모든 환경이 다시 보였어. 마치 새로 태어나, 이 세상을 처음 구경하는 것 마냥.

3_1_사물관찰

평소라면 별 관심 없었을 텐데, 사진을 찍겠다고 어느 대상에 다가가 그것을 들여다보면서, 미처 몰랐던 사물의 차이를 알게 돼.

초여름 길 가다 꽃을 보더라도 장미가 빨갛게 피었네, 하고 훅 지나쳤을 텐데, 사진을 촬영하겠다고 핸드폰 카메라를 장미꽃에 들이대며 요리조리 각도를 잡노라면 길거리 장미가 다 똑같지는 않았구나, 구별해.

어떤 장미는 꽃잎이 짧고 둥글고 가장자리에 컬이 약간 들어갔어. 봉오리가 펼쳐질 때는 같은 층에 둘러싸인 꽃잎들이 동시에 안에서 바깥으로 함께 젖혀지는 모양이야. 꽃잎 자체는 습자지처럼 얇고, 꽃송이는 탐스럽지만 가볍게 후들후들해.

또 다른 장미는 꽃잎들이 나선형으로 깔끔하게 포개어있어. 꽃잎 색깔은 짙붉고 펄을 살짝 뿌린 듯 햇빛에 반짝거리며, 감촉은 벨벳처럼 도톰하면서도 보드라워. 꽃잎 가장자리는 모양이 확실히 잡혀서 안으로 말려 들어갔지. 봉오리가 펼쳐질 때는, 다층으로 겹쳐진 꽃잎들이 회오리 모양으로 약간의 높이 차이를 내며 젖혀지기에, 입체감이 살아 다이내믹해 보여. 품격이 있어 미적으로 완성도가 높다고나 할까.

또, 집에 돌아와 핸드폰 갤러리 사진을 확인하면서 더 좋아하기도 해. 현장에서 찍을 땐 몰랐는데, 햇빛이 꽃송이에 닿아 환하게 빛나는 순간이 잘 포착됐구나. 장밋빛이 이렇게 뜨거웠던가, 불덩이 같다. 현장 실물보다 몰입감이 뛰어난 사진 속 생기 넘치는 붉은색 불꽃을 감상하며, 이미지를 통한 이차적인 컬러테라피 효과를 얻기도 하지.

(앗 뜨거워! 불꽃)

3_2_인물관찰

사진으로 주변 인물을 관찰함으로써 때늦게 느껴지는 감회가 남
달라.

지난날들의 사진들을 넘겨다보며, 아, 이 사람 눈동자가 검은색

인 줄 알았는데, 가만 살피니 갈색 커피색이었구나. 허어, 그 당시 저 뒤쪽에서 고개 숙이면서 눈 비비는 척 눈물 훔쳤었구나! 길가에서 망연자실 쪼그려 앉은 그녀, 주름진 얼굴에 고단하고 슬픈 눈. 그때 그녀의 심정은 어땠을까. 아아, 마음 아프다. 주위 사람들이 그렇게 애잔했었고 이렇게 빨리 늙어갈 줄이야, 가슴에 애틋한 물결이 뭉글뭉글 우러나오지.

세상을 바라보는 관점이 모두 각자가 1인칭 주인공 시점이라, 내가 보고 듣는 것과 자기감정에만 몰두해서 주위를 제대로 둘러보지 못하는데, 사진을 통해 그때 그(그녀)의 표정이 저랬었구나. 뒤늦게 타인의 감정을 알아차리면서, 그 시절에 주변 인연들을 대했던 내 말과 행동을 다시 돌아보게 돼. 상대를 너무 몰라 오해했었던가. 무엇을 이해하지 못했던가. 소통이 이루어지지 않으면 착각을 하게 되는구나.

―――――――――――――

또한, 시간의 흐름에 따라 얼굴 인상이 미세하게 변하는 차이를 사진을 통해 확인함으로써 만감이 교차하기도 해.

겨우 1년 전인데, 난 젊었구나. 그 사이 머리카락이 길었고, 얼굴빛이 한결 밝아지고 눈빛에 힘이 생겼네. 세상을 한 뜸 더 배운 덕분이겠지. 그동안 랜선친구도 많이 변했구나. 얼굴에 살도 붙고 몸도 튼튼해지고 피부도 반지르르 윤기가 돌고 활기차졌네.

작년에 비하면 그 친구와 가까워지긴 했어. 상대가 내 존재를 아는지 모르는지조차 불분명했던 시기를 지나, 이제는 그가 내 닉네임을 기억하고 내 성향이 어떤지 대략적으로나마 파악한 것 같으니, 내 댓글이 상대에게 어떠한 식이든 영향을 준다는 사실을 나역시도 인식했으니까 말이야.

(tmi: 온라인상 비대면 방식으로도, 감정을 교류하고 정신적인 교감을 할 수 있구나. 요즘 사람들은 SNS 활동을 통해 우정이든 썸이든 대인관계를 먼저 만들어가기도 하는구나. 외부 활동에 제약이 심한, 코로나19시대에서 소셜 네트워킹 서비스를 통한 의사소통이 얼마나 확대했는지 말할 것도 없겠지. 랜선에서 친구와 이웃을 맺을 때, 상대 인상을 결정하는 핵심은 사진과 같은 영상이었어. 상대의 실제 모습이 어떻든 영상 매체를 통해 전해지는 이미지가 그 사람의 인상을 형성하는 주요 요소였어.

───────────

과거부터 현재에 이르기까지, 시간에 따른 자연스러운 노화와 주위 인연과의 에너지 교류로 달라지는 외적인 인상의 변화 상태를, 영상으로 한눈에 그러데이션으로 내려다보면서, 세월의 무상함과 사람에 대한 연민과 애정, 인연의 소중함을 느꼈어. 주파수가 연결된 이웃과 에너지를 주고받으면서 찾아온 긍정적인 변화가 얼굴 인상에 알게 모르게 나타나는구나. 타인에게 나를 투영하면서 상대의 말과 행동을 보고 아, 내게도 그런 성향이 있겠구나, 이런 점은 좋으나, 저런 점은 개선해야겠구나, 내 장단점을 자각하면서, 자아를 살펴보는 배움이 되었지.

_____

4_동네 한 바퀴

그냥 산책이 아니라 사진을 찍겠다는 목적을 두고 밖에 나가면, 소소한 모험도 거리낌 없이 시도할 수 있어. 오늘은 다니던 길이 아닌, 낯선 샛길로 가 볼까. 다른 동네는 어떤 분위기일까. 설레는 마음으로 새로운 환경을 만나면 거기서 느껴지는 감흥이 또 달라.

북쪽으로 옆 동네는 건물들이 빼곡하게 복잡하네. 주택가처럼 한 가롭지 않지만, 젊은이들이 많아 활기차구나. 대학병원 근처 분식집에는 호박볶음이며 오이무침이며 나물무침까지 밑반찬이 다양하다. 붕어빵도 동네마다 맛이 다르구나.

남쪽으로 옆 동네는 조용하고 안정적인 분위기야. 사람들이 차분하고 여유로워 보여. 학교, 아파트, 마트, 공원이 한데 모였고 주요 관청이 산 밑에 자리 잡아 생활권이 편리하군.

뚜벅뚜벅 걷다가, 몰랐던 지름길도 발견했지 뭐야. 우리 동네 약국 사거리에서 서쪽으로 뻗은 대로를 따라가면, 각종 사무실이 든 오층 상가가 자리했는데, 그 건물에 가려 보이지 않았던 샛길이 그것 뒤쪽에 있더라고. 샛길만 건너면 근방에 법원이 위치한 사실을 알았어. 그 빠른 길을 모르고 이태까지 법원 앞 패스트푸드점을 가려고, 약국 사거리에서 남쪽으로 쭉 내려가서, 서쪽으로 방향을 틀어 직진하다, 북쪽으로 쭉 올라왔다 하며 180도 반원을 크게 돌아서 갔지 뭐야.

동네방네 걸어 다니면서, 새로 생긴 커피숍도 들르고 남들은 모르는 숨은 맛집도 찾아내고, 요즘 분위기는 어느 곳이 가라앉고 어느 데가 살아나는지도 체감했지. 이 마을 하천 주변으로는 기운이 정체했구나. 상가 임대가 줄줄이 나오고, 대출 광고 전단이 땅바닥에 나뒹구네. 한 식당 칼국수도 조미료 맛만 풍기고 영 맛없었어. 반면 하천 다리 건너 주유소 사거리는 예전에는 썰렁했는데, 프랜차이즈 생활용품매장이 생긴 이후에 대형 마트가 들어서고 브랜드 커피숍까지 오픈하자, 자가용을 끌고 사람들이 오가면서 활기차졌네. 마트 농산물은 싱싱하고 저렴해 오렌지 한 봉지를 사 왔었지.

오며가며, 숨은 커피 맛집도 발견하고

　방에만 움츠려있다 밖으로 나와 동네 이곳저곳 바람을 쐬면서 내게 부족한 에너지를 채우고, 다양한 볼거리와 다양한 소리를 접하는 과정에서 보이지 않는 구석에서 조그맣게 피어나는 변화의 바람을 누구보다 먼저 감지하는 재미를 맛보며, 이웃과 사회를 보는 시야까지 넓어져 알게 모르게 내가 한 뜸 성장하더라고.

(오며 가며, 사람 구경, 세상 구경도 하며)

5_몰입

또한, 사진 찍기는 특별한 방식으로 몰입을 경험하게 해 줘.

극장에서 영화 감상 시 어느 장면에 푹 빠질 때처럼, 자연환경

에서 아름다운 풍경을 사진으로 담는 찰나에는, 카메라를 든 손이

흔들리지 않게 호흡까지 참아가며 그 순간에 집중하게 돼. 그곳에서 펼쳐지는 멋진 광경을 바라보면, 나는 현실과 다른 차원의 세상으로, 마치 영화 속 한 장면의 가상의 세계로 흘러 들어간 듯한 착각에 빠지기도 해.

영화 감상은 2차원 평면 화면을 통해 간접체험으로 주인공에 동화하지만, 사진 촬영 시에는 3차원 공간의 실제적인 배경 속에서 내가 직접 주인공이 돼, 자연환경에 대한 감명을 온 감각으로 느껴. 난 카메라에 풍경을 담는 3인칭 관찰자인 동시에, 현장의 분위기를 온몸으로 체험하는 1인칭 주인공이기도 한 거야.

이 몰입하는 때만큼은 머릿속에 소음이 사라져. 평온해. 내 안에 뭉친 탁한 기운이 탁 트인 야외의 맑은 자연 에너지로 정화돼. 상쾌해.

회색 구름 낀 하늘 아래, 모든 세상이 색깔을 잃어버렸다. 옛날 흑백 무성 영화 속으로 혼자 들어온 기분이었다. 섬세하게 곡선을 그리거나, 동물처럼 몸통을 꿈틀거리며 하늘을 향해 솟아 오르는 검은 나무들. 그들만이 사는 흑백 세상은 시간이 멈춘 듯했다. 고요했다. 완전 다른 세 상이었다. 묘한 분위기에 잠시 취했다.(2021.1.2)

———————————

　한편, 사진 촬영으로 분위기와 이야기를 창조하는 흥미로운 경험 도 하지.

　내가 대상을 어떤 관점에서 바라보느냐, 카메라의 각도가 어떻게 달라지느냐에 따라, 같은 피사체도 다른 뉘앙스를 풍기는 이미지로 표출되기에, 촬영자가 주도적으로 컨셉을 설정해 초점, 구도, 조명

등 가변적 요인을 임의로 조작하여, 다양한 분위기와 스토리를 연출할 수 있어, 창작하는 즐거움을 맛봐.

(레디. 액션!)   (환상 속의 그대)

더불어, 사진에 어떤 제목과 검색어를 다느냐에 따라, 하나의 이미지도 주제가 다른 스토리로 재탄생하니, 표제와 #해시태그의 말바꿈으로 이야기를 짓는 재미가 또 재밌어.

물그림자(원본)　　　　　　　　이상한 나라의 도시

(원본 회전 후 필터 적용)

이차적으로, 핸드폰 사진을 편집하면서도 시간 가는 줄도 몰라. 갤러리 사진을 선택 후 편집 모드에서 화면을 어떤 쪽을 자르고 어느 방향으로 회전하느냐, 무슨 색감의 필터를 적용하느냐에 의해, 똑같은 사진이 전혀 다른 톤의 이미지로 나타나기 때문이야. 원치 않는 부위는 버리고 화사한 색감의 필터를 씌우면, 세수하지 않은 주근깨 민얼굴도 색조 화장한 양 깜짝 변신한다니까. 빛을 선택적으로 투과하는 효과 장치를 거쳐, 내 얼굴이 딴사람으로 변하는 모습에 웃음이 튀어나와.

―――――――――――

　이렇게 다양한 매력을 가진 사진에 대해 자연의 이치는 다음과 같이 언급하며, 정서적인 어려움을 치유하는 데 효과적이라고 추천해.

※ *자연의 이치*

　사진 _ 세상 보는 눈을 키워 준다

　　_나도 모르게 몸과 마음이 치유된다.

　1. 카메라를 들고 움직이는 건, 이 사회를 둘러보라는 뜻이 담겼다. 못 가 본 자리에 땅을 밟으며 그곳의 기운을 받아 내 부족함을 채우러 가기 위함이다.

　다니는 곳마다 공부 질량을 찾아 그 환경의 작은 질량까지 흡수한다면, 내 에너지가 좋아진다. 지역의 특성은 어떤가, 사람들은 어떤 성향인가, 살피며 느낀 점을 기록하면서 공부하라.

　지역 주민들과 마주치면 인연이 있어 만나지니, 겸손하게 사람을 대하면 된다. 상대는 에너지를 전달하기 위해 오는데, 내가 거만하면 그가 줄 질량을 안 주고 그냥 지나가 버려, 나는 모자란 상태로 남는다. 어디를 가든 사람을 공손히 접하면, 타인에게서 필요한 에너지를 받아 내 모자람을 채울 수 있다.

부족함이 채워져 몸에 에너지가 잘 운행되면서, 잔잔하게 아팠던 몸도 낫는다. 그분만 아니라 이런 경험치의 질량들이 쌓여 내 안에서 자기 융합이 일어나면 세상 보이는 눈이 탁 트인다. 일이 년 사진 들고 다닌 사람은 확 달라져 실력자가 된다.(1)

2. 사진은 자꾸 누르면 는다. 이리저리 찍고 나중에 좋은 컷만 보관하면 된다.

사진을 찍을 줄 안다는 건 사물을 볼 줄 안다는 얘기다. 스쳐봤던 주위 사물도 카메라에 담을 땐, 그것을 차근히 보면서, 대상의 특징을 관찰할 수 있다. 대칭, 구도, 짜임새, 색깔 등 미적인 안목의 분별이 생기고, 컨셉을 잡고 이야기를 꾸밀 줄도 알게 된다.

대자연의 모든 것들이 한 컷에 다 담겼다, 그 순간 그 장소에 떠도는 공기의 색깔까지.

사진을 통해 자연을 보는 시각이 넓어지고, 세상 보는 시야가 지적으로 변하기 시작한다.

사진 찍기를 즐기고 그걸 보고 좋아하면, 나도 모르게 몸과 마음이 치유된다. 삶에 큰 변화가 찾아온다. 치매 걸릴 확률도 배로 떨어진다. **사물을 볼 줄 알게 된다는 건, 다시 태어나는 것이다.**(2)

정말 그래, 사진 찍기가 이리도 좋은 면이 많은 줄은 그동안 몰랐지 뭐야.

✸✸✸✸✸✸✸✸✸✸✸✸✸✸✸✸✸✸✸✸✸✸✸✸✸✸✸✸✸✸✸✸✸✸✸✸✸

_ 인터넷 활동

1

포장지로 뭔가(커튼, 컵받침, 앉은뱅이 티테이블, 옷)를 자꾸 만들거나 동네 한 바퀴를 돌며 사진을 찍는 등 끌리는 일을 좋아서 하다 보니, 내 안에 무겁게 뭉친 에너지가 취미활동으로 밖으로 풀려나가 답답함이 해소되는 일차적인 해방감을 느꼈고, 이런 모든 과정을 글 또는 영상으로 정리해 SNS에 올려 불특정 다수와 공유하면서 또 다른 이차적인 해방감을 경험했어.

일차에서는 몸 안에 정체된 에너지로 인한 압력이 취미활동으로 그것이 몸 밖으로 풀려나갔다면, 이차에서 그 활동 사항을 정리한 내용물을 온라인상에 띄웠을 때는, 기껏해야 방 안에서만 일렁였던 내 에너지가 인터넷이라는 큰 바다로 흘러가며 자아의 영역이 확장됨을 체감했어. 콘텐츠가 클릭, 업로드되는 동시에, 내용물에 기운이 담긴 자아의 일부가 그것과 함께 인터넷 세상 밖으로 방출되며 날아가면서, 나 역시도 방 안에서 탈출해 날아가는 기분이었어.

막힌 숨통이 탁 트이는 것 같았어.

※ *자연의 이치*

답답한 이유(3)

내가 뭔가를 갖췄다면 이 에너지를 운용해 풀어야 하는데, 그러지 못하면 답답해 미친다. 지식, 재주 등 저마다 닦은 소질을 타인을 위해 이롭게 사용해야, 조금이라도 사회에 필요한 일을 한 사람이 돼, 보람이 생기면서 내 에너지가 바뀌는데, 재능을 소화하고 불태워 바깥세상에 쓰지 못하니, 내 기운이 정체돼 뭉쳐 숨통이 막힐 듯 깝깝해지는 것이다.

2_SNS 소통

혼자 했던 집콕 놀이를 그야말로 혼자만 알았다면 갑갑했을 거야. 혼자 놀기 취미생활을 소셜 네트워크 서비스에 올리면서, 인터넷 속 불특정 사람들과 소통할 방편이 생겼기에, 집순이라 할지라도 세상과 완전히 단절되지 않을 수 있었어. 내 것을 바깥세상에 꺼내 놓고 교류할 이야기가 생긴 것이, 세상과 이어주는 끈이 돼 무언의 안정감을 주었거든.

창작물을 SNS에 해시태그를 달아 공개하고 나서, 사람들이 표현하는 반응을 듣는 것이 재밌었어. 누군가에게는 시시한, 때로는 이상해 보이는 혼자 놀이라 할지라도, 지나가다 한두 명은 봐 주었어. 사람을 직접 만나 하는 대화가 아님에도 온라인 비대면 방식의, 키보드에 텍스트를 입력하는 문자 댓글과 채팅을 통한 소통으로도, 타인과 주파수가 연결돼 감정을 교류할 수 있다는 사실이 신기했어.

───────────────

누가 내 활동을 보고, '좋아요(👍)'를 누르거나 칭찬 댓글을 써주면 힘이 솟았어! 나도 타인에게 공감받고 인정받을 수 있구나, 남에게 영향을 줄 수 있는 존재구나.

하트(♡)를 클릭하고 긍정적인 댓글을 쓴 상대가 본인이 파는 상품을 홍보하기 위해 내 블로그 최근 글에 무심코 들른 뜨내기 영업사원일지라도 말이야.

특히 해시태그(#)의 키워드를 영어로 표기했을 때, 외국인이 내 인스타그램 필드에 들어와 칭찬 댓글을 붙였을 적에는, 타국 사람과 소통해 본 적이 없었던 촌스러운 나로서는 매우 이색적이고 흥미로운 경험이었어.

(외국인 칭찬 댓글은 흥미로웠어)

3_말(댓글)의 힘

말이 얼마나 중요한지 새삼 깨달았지 뭐야.

※*자연의 이치*에 의하면, 말은 엄청난 질량을 가졌어. 소리 언어
인 말은 귀를 통해 뇌를 거쳐 마음을 통과한 후 영혼으로 흘러 들
어가. 영혼에서 외부의 정보를 정리하고 내가 하고 싶은 메시지를
생산해 영체에서 다시 쏟아내는 게 말이야. 상대방이 하는 말이 내
영혼에 작용하고, 내 말 역시 타인의 영혼에 들어가 영향을 미쳐.
긍정적인 말에 기분이 좋으면 기운이 살아나 신체 면역력이 상승

하지만, 부정적인 말에 기분이 우울해지면 기가 죽고 육신의 면역력이 하락해. 희망과 용기를 담아 말한다면 상대의 기운을 살아나게 하고, 독기를 뿜어 말한다면 상대의 기를 죽이게 하지. 사람을 죽게도 살게도 할 수 있는, 대단한 힘을 가진 에너지가 말이야.(4)

비대면 방식의, 키보드에 텍스트를 입력해 소통하는 문자 댓글과 채팅이 말과 같은 작용을 했어. 댓글을 단 사람이 어떻게 생겼는지 모르겠지만, 그(그녀)가 타이핑한 문장의 어투에 따라 상대의 감정과 목소리의 톤이 글에 투영돼 상상돼서, 문자가 생글생글 웃으며 큰소리로 "좋아요~!", 마치 이런 "^0^" 표정으로 말하는 것 같았어. 눈을 감으면 뇌리에 글자 잔상이 계속 남아 잠들 때까지 기분이 좋았지.

물론 반대 상황도 발생했지. 얼굴이 공개된 상황이 아닌, 불특정 다수가 드나드는 인터넷 댓글 창에서 한 콘텐츠에 대해 여러 사람이 자유롭게 생각을 꺼내 놓다, 각자의 의견이 부닥치는 경우 감정이 상하기도 하더라고. 상대가 던진 뾰족한 말 한마디가 가슴에 송곳처럼 콕, 찔려 들어와 영혼까지 꽉, 아파졌어.

얼굴도 모르는 사람이 쓴 댓글로 무슨 상처를 받겠나, 싶겠지만 의외로 상심이 커서 기가 확 죽어. 순식간에 먹구름이 온몸을 휘감으면서, 기분이 침울해지고 몸까지 시들시들 맥을 못 쓰게 돼. 눈을 감으면 뇌리에 글자 잔상이 여전히 보였어. 문자가 퉁명스러운 목소리로 "싫어요!", 마치 이런 "-‿-" 표정으로 내뱉는 듯한 환청이 귓가에 맴돌아 잠도 오지 않고 계속 우울했지.

(※댓글의 힘이 상상보다 세서, 내가 약하면 이 말 저 말에 휘둘려. 자신을 갖춰 질량을 높여야, 타인의 말에 일희일비하지 않을 수 있어.

탁한 말을 들었다면, 남 탓하지 말고 자신을 살펴보자. 아, 내가 이태까지 바르지 않게 치우쳐 생각한 뭔가가 있었구나. 그것을 알아차리라고 상대가 그 역할을 했구나.

타인의 입장에서는 다르게 판단할 수 있는 문제구나. 그 사람에게는 그게 맞겠구나. 사고의 다양성을 인정하자. 관점이 다른 상대의 생각과 내 생각을 점검하는 과정을 통해, 자기 틀 안에 갇혀 굳어왔던 관념에 변화가 일어나, 세상 보는 시야가 넓어짐으로써 자아가 발전하는 계기가 될 수 있어. 남과의 의견 차이를 대립이 아닌, 자신을 성장시키는 자극제로 선용할 줄 아는 슬기가 필요하단 말이지.)

4_온라인으로 먼저 소통

인터넷을 적절히 활용한다면, 친구를 만드는 데에도 무익한 감정 소모를 하는 시행착오를 줄일 수 있어.

처음부터 직접적인 대인관계가 불편한 사람은 온라인상에서 먼저 사람들과 교류하는 편이 나아.

모르는 누군가를 만나서 덜컥 상처받는 것보다, 랜선으로 친구를 맺어 어느 정도 거리를 유지한 채 서로에 대해 알아가는 시간을 가지면서, 상대와 내가 가치관과 이념이 맞는지 판단할 수 있으니까, 성급한 결정으로 인한 실제적인 타격의 위험부담을 줄일 수 있지.

일차 온라인 소통 안에서 도움을 주고받으며 유쾌한 시간을 함께한 사람들이, 이차 오프라인 현장 모임으로 만나 얼굴을 마주하고 좋은 에너지를 나누며 이야기꽃을 피우면서 다시 한번 관계 설정을 고려해 보는 거야.

———————————

내 경우, 온라인영역에서조차 불특정 다수와의 갑작스러운 대인관계가 낯설었어. 적극적으로 이웃을 신청하러 다니지 않았고 다가오는 사람들만 이웃을 수락하거나, 팔로우(다른 사람을 친구 추가하는 것)[5]와 맞팔(서로 팔로우하는 것)[6]을 하지 않기도 했어. 인맥 형성보다는, 요즘 사람들이 즐기는 인터넷 사회관계망이라는 큰 바깥세상으로 한 걸음 나아가 내 이야기를 꺼낸다는 처음 시도에 의미를 두었어.

게시물을 올려도 조회 수가 없는 날이 빈번했지만, 분명한 점은 지나가다 한두 명은 꼭 보니 혼자 쓰는 일기만은 아니라는 사실이었어. 누군가는 내 블로그 홈에 들러 글과 사진을 보고는 있구나. 내 활동이 다른 이에게 미세하게나마 영향을 끼치기는 하는구나. 순간순간 타이핑한 댓글이 불특정 소수에게 따뜻한 위로를, 때로는 생각을 바꿔주는 반전 웃음을 선사하기도 하는구나. 방구석 외톨이 집순이에게 세상과 소통할 새로운 통로(디지털 플랫폼)가 생긴 것만으로도 위안이었어.

온라인상에서조차 인간관계에 능숙하지 못할지라도, 외부세계로 한 발짝 내딛는 과정이다, 세상을 배워가는 또 하나의 공부라 삼으면 바람직해. 타인과 소통하기를 어색해하고 두려워하는 이유는, 내 갖춤이 모자라 질량이 약해서 사람을 바르게 대할 줄 몰라서이거든. 열린 태도로 다른 사람들의 생각, 지식, 경험을 먼저 충분히 들어본 후, 차츰 그들과 언어와 에너지를 교류하면서 내 부족함을 보완해 간다면, 자아가 한 뜸 성장할 테야.

✳ *자연의 이치*

인터넷 소통을 통한 에너지 교류(5)

1. 내가 모자랄 때는, 밖에 나가기를 싫어한다. 사람을 만나면 자꾸 부닥치니, 안 나가는 거다. 질량을 못 갖춰 겁내는 거다.

사람들을 만나기 위해선 나를 갖춰야 한다. 자신을 갖추지 않고 사람을 만나면 상처 입고, 또 주저앉아야 한다. 몇 번을 더 상처받으면, 그만 세상이 싫어진다.

질량 이동의 법칙으로 자연이 운용한다. 인간도 똑같다. 인간이 질량이 좋아지면 자리를 이동해, 더 큰 에너지를 상대한다.

자연에서 최고의 에너지가 지식에너지이다. 인간만이 지식을 생산하고 업그레이드하고 이것을 소화할 수 있다. **지식에너지로 질량을 채우면, 내가 말을 하고 싶어진다.** 모자라면 입을 닫는데, 질량을 갖추면 타인과 소통하고 싶어진다. 인간은 아는 만큼 입을 열게 돼 있다. 모르면 입을 못 연다.

2. 인터넷에 들어가 활동을 많이 하라.

인류의 희생 속에 인터넷이 생겨났다. 누구든지 지식을 공유하고 그 속에서 얻을 것을 마음껏 얻어, 내 모자란 부분을 채우는 곳이 인터넷이다.

인터넷에서 나한테 맞는 거 자꾸 찾아보고 그것을 흡수하면, 에너지가 조금씩 살아난다. 지식이 우리에게 에너지를 전달한다. 이것을 먹으면 내 에너지가 되지만 그렇지 않으면 나와 상관없다.

관심사가 같은 온라인 모임 활동도 참여하라. 거기서 보이고 들리는 모두가 내 공부이다. 좋아하는 분야가 동일한 사람들이 서로 위로하며 에너지를 보내고 있다. 그 기운을 주고받다 보면 기본적인 건 좋아진다.

남 탓하던 것을 내려놓고 겸손하게 상대 말을 들으려고 노력하면, 이것이 공부가 되면서 내게 부족했던 에너지를 채울 수 있다.

-2021년 5월 12일 대문자S가-

�✳✳✳✳✳✳✳✳✳✳✳✳✳✳✳✳✳✳✳✳✳✳✳✳✳✳✳✳✳✳

- 시간 멈춤 해제, 타임 지표 라인 -

✳✳✳✳✳✳✳✳✳✳✳✳✳✳✳✳✳✳✳✳✳✳✳✳✳✳✳✳✳✳✳

안녕, 스몰에스!

정말 오랜만이야, 얼마 만이지?

지난 5월에 '빨주노초파남보, 색채 마술'에 관해 얘기한 후, 11월이 됐으니 6개월 만인가! 세월이 빠르구나. 그동안 집콕생활이 대부분이었긴 했지만, 이런저런 취미활동을 하다 보니, 너에게 편지 쓰기를 잊어버렸지 뭐야. 게다가 주위에 소음이 어수선하고, 머릿속에서는 상념이 복잡한 가운데 집중하는 시간을 갖기가 어려웠어.

그런데도 노트북 앞에 앉은 이유는 이러다가는 올해가 가기 전에 그대에게 편지 한 장도 못 보내고, 2020년을 끝내버리겠다는 조바심 때문이었지. 2021년이 오기 전에 다른 것은 몰라도, 이것만은 s에게 꼭 강조해야 했거든!

우울감 또는 우울증에서 벗어나기 위해 시도할 수 있는 방책이 많잖아. 산책, 운동, 춤, 노래, 그림 등 몸을 움직이고 감정을 풀어내는 활동으로, 일단 기분전환 하는 긍정적인 효과를 얻잖아.

그러나 우울한 정도의 심지가 깊다면, 물질적인 차원의 방식은 문제의 근본적인 원인 자체를 풀지는 못해, 임시방편 대책이 될 뿐이야. 매일 그림 그리는 사람도, 그날그날 춤추고 노래하는 사람도, 꾸준히 운동하는 사람도 우울증에 걸리기는 마찬가지니까.

※ 자연의 이치

껍데기 낫는 건 쉽다[1]

처음에는 미술이든 음악이든 춤이든, 우울한 상태를 치유하는 데 어느 정도 도움이 된다. 초기에 효과가 이 단계에 있었으면, 다음엔 그것보다 단수가 높은 작용이 주어져야 상황이 개선되는데, 시간이 한참 지나도 맨 같은 행동 자극만 반복하면 이제는 차도가 없다. 증상의 겉보기는 약해도, 속으로 들어갈수록 잘못된 원인의 뿌리가 단단하게 박혔기 때문이다.

껍데기 낫는 건 쉬워서, 그림, 노래, 춤 등 임시방편으로 좋아질 수 있다. 그 수준보다 더 밀도 있는 문제는, 이전과 같은 방편으로는 소용이 없고 더 질량 높은 해결책이 요구된다. 속 깊이 박힌 잘못된 뿌리를 다스리지 못하면, 어려움은 언제든 다시 자라나게 돼 있다.

(불타는 가을밤)

숨 막힐 듯 답답한 검은색 바다에 침몰했던 나를 실질적으로 구해준 건, 물질적인 차원이 아닌 에너지 차원의 방법이었어. 그것이 내겐 더 확실하고 강력하게 작용했어. 진짜 하고 싶었던 얘기가, 우울증을 극복하는 이 영약에 대한 이야기였어.

난 불교니, 기독교니, 도파니 하는 종교가 없어. 명상이 뭔지 해본 적도 없었지. 영적인 세계를 몰랐던 사람이야.

그러다 삶이 나를 여러 번 속인다고 생각했을 때, 어떻게 살아야 할지 도저히 알 수가 없었어. 앞날에 희망이 보이지 않네. 무엇을 하려고 태어났지. 왜 살까. 삶의 목적을 잃었어. 대중에게 공적으로 인정받는 유명인들은 전쟁 같은 현대사회에서 상처받지 않고, 잘 살아가는 인생의 비밀에 대해 알까. 그들은 어떤 조언을 할까. 클릭, 클릭, 휙휙. 인터넷 세상을 떠돌며 지식인, 정치인, 종교인 등 다양한 사람들의 얘기를 이해 못 하면 못하는 그대로 아이쇼핑하듯 여기저기 귀동냥하던 어느 날, 드디어 내게 필요한 이야기를 만나게 된 거야. 맞는 말이네, 고개를 끄덕끄덕 처음엔 가볍게 띄엄띄엄 대하다가, 한 일주일째 됐을 때인가, 한 자연의 법칙을 접하고는, 허!!! 충격받았어!!!

입이 벌어지고 눈이 휘둥그레졌어. 머릿속에서 뭔가가 쨍!!! 깨지는 것 같았지. 온몸이 놀랐다고나 할까.

진리 에너지가 파도처럼 내게 확악, 밀려 들어왔어. 심장 부위가 뭉글뭉글하게 뜨끈해지더니, 가슴속에서부터 뜨거운 뭔가가 마그마처럼 끓어올라 몸 밖으로 터져 넘쳐 나오는 것만 같았어! 서늘하게 경직됐던 온몸이 따뜻하게 부풀려지며 말랑말랑해졌고, 눈에서 뜨거운 눈물이 콸콸 쏟아졌지.

태어나서 처음으로 그렇게 울었어. 사람이 이렇게까지 오랫동안 눈물이 끊이지 않고 흘릴 수 있다는 사실에 놀랐지. 한동안은 콸콸 쏟아지다가, 힘이 빠지니까 줄줄 내렸어. 기운 없어 그만 울고 싶은데, 의지와는 상관없이 눈에서는 하염없이 줄줄줄…….

오후에 눈물이 터지기 시작해서, 밤새고 새벽을 넘어 다음 날 오전까지 눈물이 그치지 않았어. 나중엔 탈진하다시피 지쳐서 잠들었었지. 한참 후 잠이 깼는데, 눈을 제대로 뜰 수가 없었어. 속눈썹에 눈곱이 말라 비틀어 엉켜서 그걸 떼느라 애먹었어. 눈물점에 하얀 티가 부어올라 아리기까지 하더라고.

폭풍처럼 눈물을 쏟아내니, 몸도 마음도 개운했어. 가슴에 막힌 돌덩이가 하나 쑥 빠져나간 것 같고, 몸에 안개처럼 텁텁하게 끼었던 뭐가 스르르 걷혀나간 듯 시원했어. 영혼이 깨끗이 씻겨진 느낌이랄까. 천둥 번개가 쾅, 치고 소낙비가 쏴쏴쏴, 퍼붓고 나면 탁한 먼지가 씻겨 내려가 주위 환경이 맑아지듯 말이야.

(몰랐던 걸 쨍하니 알게 되니, 답답하게 막혔던 게 뚫려 나가, 몸도 마음도 상쾌해진 거야.)

　그 후로 진리를 처음 석 달은 미친 듯이 흡수했지. 목마른 사람
이 물을 들이켜듯 진리 에너지를 정신없이 마셔댔어. 밥 먹을 때도
화장실을 갈 때도 잠잘 때도 이어폰을 꼈으니까. 왜냐고. 재미있어
서. 내게 필요한 에너지를 자꾸 주니까. 잠도 잘 잤어. 현실을 잊
고 싶어 눈을 감은 게 아니라, 나도 모르는 사이 잠이 저절로 왔
어. 귓가에서 흘러나오는 진리 에너지가 나를 포근히 감싸며 토닥

토닥 편안하게 재워줬거든.

하루하루 시간이 지나면서, 어둑했던 얼굴빛이 전보다 맑아지고 생각도 밝아지지 뭐야. 삶이 왜 나를 속였다고 착각했는지 그동안 왜 고통스러웠는지, 뭘를 잘못 생각하며 살았는지, 몰랐던 진실을 하나씩 이해하게 되면서, 세상이 달라 보이기 시작했어. 자연의 이치를 만났을 뿐인데, 기운이 서서히 회복되고 있다는 사실이 신기할 따름이었지.

※ *자연의 이치*

눈물 _ 영혼의 때를 씻겨 낸다[2]

자연의 법칙을 좋아서 접하다 보면, 어떤 것이 내 안으로 송곳처럼 확 찔러 들어온다. 나한테 맞는 게 들어올 때 눈물이 쏟아진다.

반성의 눈물도 있고, 내가 어떻게 주체못하던 기운이 터져서 흐르는 눈물도 있다. 가슴 깊이 와 닿아서 터진 눈물은, 안개처럼 막을 싸던 마음의 찌꺼기가 녹아내려서 쏟아진 것이다. 이것이 가슴속에 뭉친 화를 씻겨내고, 내 육신에 든 탁한 영혼의 때도 씻겨낸다, 탁하게 배겼던 기운을 닦아 낸다.

눈물을 쏟고 나면, 막혔던 게 풀려서 기운 돌아가는 형상이 달라진다. 모든 세포의 운용에 변화가 생겨 내가 밝아진다. 혈이 돌아 피부가 맑아지고, 생각이 환해지고 어두웠던 시야가 트인다.

진리는 자연의 법이며 에너지이다. 에너지를 자꾸 받으니 내가 맑아진다. 점점 질량이 좋아진다. 같은 꽃이라도 보는 사람의 질량에 따라 달라 보이는데, 맨날 보던 꽃이 언제는 희한하게 빛깔이 에너지를 내뿜는 듯이 확 예뻐 보인다면, 내가 질량이 좋아져 보이는 게 변화한 것이다.

(아름다운 가을밤)

　진리 에너지가, 숨 막힐 듯 갑갑한 우울한 바다에서 나를 꺼내
줬어.

진리를 흡수해, 탁한 기운을 녹이고 몰랐던 것을 알아 자신의 부족함을 채워나가는 것이, 우울증을 극복하기 위한 여러 방법 중 내가 아는 최고의 방법이야!

　운동이나 여타 취미활동 등 물질적인 차원의 행동 방안도 중요하지만, 에너지 차원의 방식으로 영혼을 아프게 했던 문제의 뿌리를 녹여 씻어내는 작업이 있어야, 우울증의 근원적인 치유가 가능해.

　물론 에너지 차원과 물질적인 차원의 방책을 병행한다면, 그것이야말로 최상이겠지!

　※[자연의 이치] + [산책 or 운동 or 재미있어하는 일 등 신체를 움직이는 활동]

스몰에스, 네가 과다한 감정 소모로 힘없이 방바닥에 누워있고, 현실을 잊고 싶어 이불 속에서 잠만 잔다면, s도 너의 고통을 근본적으로 해결해 줄 에너지 차원의 이야기를 만났으면 좋겠다.

너의 답을 풀어줄, 네게 열쇠처럼 꼭 들어맞는 결정적인 진리 자락을 만났을 때, 오랫동안 풀리지 않았던, 가슴속 무덤 속에 파묻힌 문제의 응어리가 드디어 녹아내리고, 육신에 튼 탁한 영혼의 때도 씻겨 내려가. 막혔던 것이 뚫리며 기운이 원활히 운행되면서, 내 힘이 되살아날 거야. 다시 태어나는 기분을 느낄 거야. 세상이 맑아지고 개운해지며 명백해질 거야.

우연처럼 인연처럼 운명처럼 만난 그 진리가 우울증 극복을 뛰어넘어, 너의 인생길 전체를 비춰줄 빛나는 태양이 돼 줄 거야. 너의 삶을 뒤바꿔 줄 거야. 더 좋은 방향으로, 더 밝은 세상으로, 더 자유롭게.

스몰에스, 너도 너의 태양을 어서 만났으면 좋겠다~~^^☆

-2020년 11월 10일 가을밤에, 대문자S가-

※자연의 이치

_우울한 그대에게 도움될

우울한 그대에게 도움이 될 자연의 이치 중 일부를 정리해 보았어.

이는 각기 다른 환경에서 따로 나온, 개별적인 원리들을 비슷한 내용끼리 분류해 간단 요약한 것으로[1], 우울증이 오는 원인과 해결책을 대략 다음과 같이 살펴볼 수 있었어.

(※물론 각자마다 세세한 상황이 다르기에, 내 답을 풀어줄 내게 열쇠처럼 꼭 맞는 진리는 수많은 이야기 중 어딘가에 피어있다는 점과, 종이에 인쇄된 문자로는 다차원 에너지인 자연의 이치를 온전히 표현해 전하기가 어렵다는 점은 미리 참고해야 해.)

──────────

(앞길을 비춰줄 등불이 꺼지면, 우리는 희망없이 우울해져.)

1_우울증이 오는 원인

●희망이 보이지 않는가

꿈을 향해 뭔가를 열심히 하며 성장할 때는 우울증에 걸리지 않는다. 뭘 해야 할지, 왜 살아야 하는지, 희망이 보이지 않으면 우울증이 온다.

시대적으로 무식할 적에는 열심히 먹고살면 되지만, 사회가 발전해 어느 수준에 오르면 지적인 일을 해야 하는데, 지적으로 성장한 사람이 지적인 일을 할 수 없을 때, 내가 왜 이렇게 살아야 하나, 살기 싫어진다.

요즘 젊은이들이 우울증을 많이 앓는 이유는, 현대지식사회에 지식을 갖춘 사람들이 지적인 일을 할 수 없으니 앞날에 희망의 빛이 보이지 않아서이다. 그들 눈에는 미래가 암울하기만 한 것이다.

● 세상을 잘못 접근하면, 상처를 입는다

뭔가 하고자 꿈틀대는데 실력이 부족하면, 상대한테서 들어오는 환경이 나를 채찍질한다. 그때 누군가의 말 한마디로 영혼이 충격받는다.

똑똑하고 재주가 뛰어나더라도, 세상을 잘못 접근하면 상처를 입는다. 전기를 잘못 만지면 스파크가 튀면서 제품이 고장 나는 것처럼, 우리는 에너지이기에 인간과 인간이 잘못 다가가면, 충돌이 생기고 쇼크가 일어나 그 후유증이 오래간다.

상처를 자꾸 입으면 우울증이 온다. 국민 30%는 이미 영혼의 병이 왔다. 이것을 표 없이 견디고 갈 수밖에 없는 상황이니까, 덮어두고 가는 거지 이미 속은 곯았다.

● 내 잘못이 분명히 존재한다

고집이 세든, 잘난 척을 했든, 해야 할 공부를 안 했든, 본인에게 분명한 이유가 존재해 어려워졌다.

무시당하는 건, 자기가 무시당하게끔 살았기 때문이다. 내 잘못은 없고 남이 내 의견을 뭉갠다고만 불평하기에, 해결이 안 난다. 상대가 멸시한다면 아, 내가 살아가는 환경을 잘못 운용한 것이 있었구나, 알아차리고 넘어가라.

타인을 원망하면 어려움을 더 겪는다. 본인이 힘들어진 데는 자기 잘못이 분명히 존재했었다, 이것만은 변함없다.

더 답답한 사람이 잘못이 더 있다. 상대는 신경 쓰지 말고, 나부터 바르게 행해야, 그도 바르게 돌아온다. 어려운 사람이 남을 욕하면, 내가 안 풀린다.

●말이 통하는 사람이 없는가

지식을 갖추고 성장한 상태에서 친구가 없으면, 쓸쓸하고 답답하고 미친다. 말이 통하는 사람이 없어서 우울해진다. 의논할 사람이 없다, 이게 외롭다. 진짜로 터놓고 이야기할 사람이 없다, 더 깊이 고독해진다. 광활한 우주를 혼자 떠도는 혜성처럼 공허해진다.

●조상의 영향일 수도 있다

어떤 우울증은 조상대에 해결하지 못한 탁한 기운이 후손에게 빙의로 내려온 상황에 해당한다. 집안에 우울증이 올 수밖에 없었던 이유가 무엇인지 깨달아 풀어달라는 숙제다.

그러나 탁한 영혼을 불러들인 환경 자체는 결국 자신이 만들었다. 내가 우울하니까 과거에 자기도 그랬었던 영혼이 자손을 도우려는 방편으로 후손에게 찾아온 것이다. 우울증으로 죽었었던 영혼이 너도 같이 죽자고 끌고 가기에, 우울증에 걸리면 자꾸 죽으려고 한다. 내 인생을 못 살고 맨날 그 안에서 헤매다 병든다.

병이 왔다면, 자기의 모순을 바르게 잡아가는 노력을 안 하고, 시간을 함부로 소비한 대가이다.

●영혼의 양식이 필요하다

인간은 육신이 섭취해야 할 음식과 영혼이 흡수해야 할 양식이 필요하다. 현대인들은 음식만 먹고 좋아지려 하다 보니, 영혼에 양식이 메말라, 누가 하는 말 한마디를 제대로 소화하지 못한다.

말은 비물질에너지로 나쁜 말도, 좋은 말도 영혼에 들어온다. 안 좋은 말을 자주 들으면, 탁한 에너지가 쌓여 영혼이 힘들어지고 육신을 통제하지 못해 아파지기까지 한다. 몸에는 안 좋은 세포와 좋은 세포가 공존한다. 영혼의 질량이 좋으면 좋은 세포가 힘쓰고, 영혼의 질량이 모자라면 안 좋은 세포들이 강해져 암과 같은 병도 온다.

비물질에너지, 일용할 양식을 제대로 채워야, 영혼의 질량이 높아져, 정신뿐만 아니라 육체를 건강하게 관리할 수 있다.

2_우울증을 나으려면

• 남 탓을 안 하는 연습부터 한다

우울증만이 아니라 어떤 아픔이든 왜 어려움이 왔는지, 여기에서 무엇을 공부하라는 건가, 그 원리를 알고 하나씩 풀어가며 병을 치료해야지 정상적으로 낫지, 약물로는 온전히 치유되지 않는다.

사기를 당했다면 당장은 탁 부닥쳐 화날 수 있으나, 사기꾼을 탓하는 시간이 짧아야 한다. 내가 살아가는 환경을 잘못 운용한 것이 있었구나, 알아차리고 이 상황을 어떻게 처리해야 할까, 냉정히 생각하라.

상대보다 내가 답답하면, 내 잘못이 70%요, 상대 잘못은 30% 차지한다. 스스로 분별을 못 해 그에게 걸렸으니, 본인이 더 공부해야 한다. 상대방도 자기 잘못을 인식해야 하므로, 객관적인 잣대로 그를 처리할 수 있다.

내가 사기당할 만한 탁한 상태에 놓였기 때문에, 상대가 나를 깨우치기 위해 악역을 하러 왔다. 그 역할자를 계속 원망하면 내가 어려워진다. 깨닫지 못했기에 자연이 사기꾼을 또 보낸다.

남 탓을 안 하는 연습부터 해라. 남 탓과 불평을 안 하기 시작하면, 상황이 이 이하로 나빠지지는 않는다.

●산책한다

방에만 앉아 있으면 우울증은 더 심해진다. 100일만 산책해도 웬만한 우울증에서 벗어난다.

아침 해 뜰 때 30분 정도, 오후 석양이 질 때 30분 정도 햇빛을 받으며 걷는 게 좋다. 우리 몸이 햇볕을 쬐면, 칼슘 흡수에 도움을 주는 비타민D를 생성해 골다공증을 예방한다. 흙길을 밟을 때, 발바닥이 울퉁불퉁한 땅의 요철 자극을 받아 뼈가 밀도 있게 다져진다.

날씨 괜찮은 날은 등산도 해라. 무리하지 말고 산을 오르락내리락하면서 자연의 기운을 받으면, 내가 변하는 데 크게 도움받는다. 운동이 아니라 자기 시간을 갖는다고 생각하라. 나는 생각 점을 만지며 걷는데, 몸은 부족한 기운을 자연으로부터 스스로 필요하게끔 채워가며 바뀌는 중이다.

●재밌는 일을 한다

우울증인 사람은 재밌게 할 수 있는 일을 먼저 해라. 임시로라도 흥미로운 일을 찾으면, 우울한 생각에 빠졌던 상태에서 처음으로 다른 것이 눈에 보이고, 딴 것이 보여야 거기로 눈길이 가서는, 생각까지 옮아간다. 그렇게 살살 기운을 회복하기부터 시작하라.

뭔가를 재밌게 하고 지내면, 병에 신경이 안 쓰인다. 병은 잘못된 기운이 문제를 일으켜 발병한다. 내가 할 일이 없어야 탁한 기운이 같이 노는데, 흥겨운 무엇에 몰두하면 그것이 거기에 끼어들지 못해 떠나야 한다. 병은 그렇게 낫는다.

●실력을 갖춘다

욕심을 내려놓고, 실력을 갖춘다. 요만한 실력이 있으면 요만한 귀신과 놀고, 이만한 실력을 지녔으면 이만한 귀신과 논다. 내가 공적인 마인드로 실력을 쌓았으면, 공적 마인드를 갖춘 신들과 놀 수 있다.

잡귀들한테 왜 노출되느냐, 내 갖춤이 부족해 그것들과 논다. 탁한 기운을 퇴치하려면 실력을 향상하라.

인간은 지식과 진리로 질량을 갖추면, 신도 함부로 할 수 없다. 지식과 진리로 질량을 갖춘다는 것은, 영혼의 질량이 확장함을 뜻한다. 내 영혼이 신이기에, 이것이 내 주인이다. 영혼의 질량을 키우면, 그것보다 질량이 낮은 신은 나한테 작용을 못 한다.

질량을 쌓는, 바른 공부를 해서 한 단계 올라서라. 공부해서 이해되고 수준이 올라가면 기운이 달라져서, 탁한 기운이 물러난다. 집착성 영혼과 주파수가 맞지 않아, 그것이 나에게 들어오려야 들어올 수가 없다.

●의논되는 사람과 지낸다

의논되는 사람과 지내면, 우울증 100일 만에 없어진다. 그때부터는 서로에게 필요한 지혜가 스스로 나온다.

너와 내가 의견을 주고받으며 문제를 풀어가야 상생할 수 있다. 친구든, 연인이든, 부부든 내 고집으로 주장하면, 상대에게 도움이 안 돼 힘들어진다.

각자 뜻이 안 맞으면, 떨어져라. 상의 되지 않는데, 붙어있으면 이제부터 꼬이기 시작한다.

의논할 사람을 찾아라. 의논되면, 서로에게 도움 돼 가까워지고, 우울해질 수 없다.

사람이 가까워지는 건 좋은 프로젝트를 같이 할 때다. 우리가 한 군데 초점을 두고 작업하면, 동질성이 일어나서 소통이 이루어진다. 서로에게 보탬이 돼 친밀해진다.

●세상을 바르게 풀어가는 희망을

자손에게 우울증이 내려오는 경우, 집안에 우울증이 올 수밖에 없었던 이유가 뭔지 깨달아 풀어달라는 숙제가 있다.

윗대로부터 쓸어 받아 온 고통을 너희들이 바르게 깨달음으로써, 미래를 살아갈 후손들은 똑같은 시행착오를 겪지 않도록 해 달라는 뜻이다. 왜 이런 모순을 경험했는지, 앞으로는 어떻게 살아야 하는지 정리해야 한다.

우리는 민족의 역사적 사명을 띠고 이 땅에 태어났다. 조상의 얼을 빛내고 인류 공영에 이바지해야 한다. 우리에게 준 아픔은 우리의 공부요, 숙제이다. 선조들이 남기고 간 것들을 쓸어 안아 새로운 패러다임을 꺼내야 한다. 저마다 소질을 계발해 사람을 이롭게 하고, 어둠을 헤매는 인류사회에 옳은 길을 내어줘야 한다.

　세상을 바르게 이끄는 희망을 만들어 줘야, 요즘 젊은이의 우울증이 낫는다. 뭔가 변하네, 우리도 그리하면 되겠네, 앞날의 가능성이 보이면 그들의 우울증은 사라진다.

(세상을 바르게 풀어가는 희망을 밝히면, 우울증은 점차 사라져.)

●즐겁고 행복하게 사는 것이 법이라

인류의 뿌리는 대한민국이다. 인류의 본보기가 우리나라여서, 샘

플로 많이 아프고 샘플로 많이 자살한다.

뿌리 사람들이 어떻게 사느냐에 따라 인류가 달라진다. 우리가 즐겁고 행복하면, 인류가 행복해진다. 우리가 미치면 인류가 미친다. 우리가 미쳐서 그들을 따라 하게 할 것인가, 우리가 행복해져서 그들을 따르게 할 것인가.

즐겁고 행복해지는 것이 법이라. 자손들이 즐겁고 행복하게 살도록 만드는 일이 조상의 얼을 빛내고 인류 공영에 이바지하는, 민족의 역사적 사명이다. 우리가 행복한 에너지를 품을 때, 인류사회가 우리에게 행복하게 사는 비법을 가르쳐달라고 손을 내밀고 오게 돼 있다. 그때 대한민국 사람들이 행복 바이러스를 세계에 퍼트려, 모두가 즐겁고 행복하게 살아갈 세상을 이루어가야 한다.

3_자신을 갖추는 방법

자연의 법칙에 의하면 우울증은 100% 낫는 병이야. 산책이나 자기가 재밌어하는 일을 하면서, 나를 갖추는 바른 공부를 병행해야 바람직해. 이태까지 몰랐던 것을 알아 이해한 만큼 차츰차츰 어려움이 풀린다고.

● 세상에 보이고 들리는 것이 모두 내 공부다

내 눈앞에 보이고 내 귀에 들리는 반경에 내 공부가 있다. 이것을 무시하고 딴 것을 쫓는다면, 세상 문제를 풀 수가 없다.

어떤 이는 돈 잘 벌다가 사기당하네, 또 어떤 이는 서로 좋아하다 지금은 싸우네, 또 다른 이는 잘난 척하다 지금은 우울하네, 이렇게 내 앞에 펼쳐지는 환경 그대로를 쓸어 담아라.

상대 얘기를 티 없이 들어라. 아무리 하찮은 사람의 말이라도 일단 들어봐라. 내 부족함을 채워주기 위해 그가 와서 얘기하는 것이다. 상대 말을 흡수하면 구멍 뚫린 기둥에 빈틈이 여물 듯, 내공의 밀도가 채워진다. 인연들이 빈틈을 채우기 위해 오는 것이다.

모두 필요해서 보이고 들린다. 내 잣대로 맞다, 틀리다 판단하지 말고, 자기 생각에 아닌 것도 밀치지 말고 받아놓고 지나가라.

주변 사람들의 말이라도 겸손히 들었었다면, 난 어려워지지 않았을 것이다. 배움은 멀리 있지 않고, 가까운 인연들이 하는 대화에 담겼다. 의사는 환자가 아파서 온 이유, 그의 결혼생활과 사회생활을 하면서 탁해진 사연을 잘 들어놓아라. 자신이 경험하지 못한 환자의 얘기를 듣고 그에게 해 줄 말이 생긴다. 어떤 측면에서는 의사와 환자는 갑과 을의 관계가 아니라, 서로 도움을 주고받는 관계이다. 내 앞에 온 환자의 얘기를 귀담아들으면, 이것이 나중에 다른 환경에서 부닥칠 문제를 해결할 중요한 자료가 될 것이다.

● 내 모순을 잡아간다

세상에 부닥치면, 남 탓하지 말고 자기모순을 찾는다. 내가 상대방 근기에 맞게 이해되게 설명을 못 했는가. 옳다고 한 행동이 남에게는 모순으로 작용해, 주변인을 힘들게 했는가. 내 잣대로는 마땅하지만, 타인에게는 아닐 수 있지 않은가.

남을 원망하고 내 모순은 무마하고 넘어갔다면, 그 모순이 누적돼 세상에 다시 부닥치는 악순환으로 이어진다. 본인은 어긋난 짓을 하면서 상대를 불평하면, 자신만 힘들어진다. 알았든 몰랐든 그렇게 계속 가면, 아파지고 쓰러진다.

모순을 찾아 잘못된 습관을 개선해 나아가면, 세상이 바르게 보이고 바르게 들리기 시작한다. 바르게 보이면, 지혜가 나온다. 인생을 부닥치지 않고 살아갈 수 있다.

아는 게 그만큼 중요하다. 바르게 사는 자연의 법칙, 진리를 친구 삼아 100일만 재밌게 지내면, 어지간한 우울증은 낫는다. 자연의 이치는 너의 답을 풀어 해소해 들어간다. 네 기운을 다시 살린다. 미치고 죽고 싶은 생각을 하나, 하나 벗겨낸다. 죽고 싶던 생각이 없어졌다는 건, 최고의 영약을 먹었다는 뜻이다.

●진리를 흡수해야 문리가 일어난다

물질은 중력으로 주위를 잡아당기고, 인간은 내공으로 모든 것을 끌어당긴다. 내공의 질량은 지식과 진리가 융합해야 쌓인다.

지식과 진리는 다르다. 지식은 사회에 일어나는 모든 환경 즉, 책에 정리된 정보이든, 살면서 보고 들었던 경험이든 그 전부를 받아들인 것을 가리킨다. 지식을 많이 먹으면, 세상을 분별할 줄 아는 내공이 생긴다.

그러나 일반지식을 아무리 먹어도, 밀도는 생기지 않는다. 진리를 흡수해야, 밀도가 생겨서 문리가 일어난다. 문리가 일어나면, 기억해 모아놓은 지식이 움직여 서로 융합한다. 이태까지 살면서 보고 들은 거, 이해 못 했던 것들이 진리로 표절이 맞춰져서 지혜가 열린다.

몰랐던 근본이 따지고, 막혔던 것이 뚫려서, 신체가 운용되는 상태가 달라진다. 질량이 낮았던 영혼이 진리를 흡수하니, 에너지가 살아난다. 내 속에 뿌옇게 끼었던 탁한 기운이 걷히고, 정체했던 에너지 흐름이 순환하면서, 온 세포에 원활한 변화가 일어나, 신체 면역성까지 살아난다.

영혼은 내 안에 있는 태양과도 같다. 내공에 밀도가 차서, 이 태양이 바로 작동하면, 몸의 모든 에너지를 빨아들이고 조정한다. 필요한 에너지를 받아들이고, 불필요한 것은 다스려내는 일을 스스로 한다. 신체가 자잘하게 잘못된 것도 고친다.

이것이 자연의 진리를 흡수하면, 아픔도 견딜 수 있고, 힘이 생기고, 죽고 싶지도 않고, 희망이 생기는 이유이다.

☆

　진리는 나무, 꽃, 식물, 동물, 자연, 인간, 삶, 사랑, 일, 꿈, 철학, 우주…… 세상의 모든 이야기를 자연의 법칙에 따라 풀어낸다.

　진리의 울림이 네 모든 세포에, 생각에, 영혼에 후~ 새로운 에너지 바람을 불어넣어 네 기운을 회복시켜줘.

　그것이 어긋난 사고를 바르게 잡아주고, 영혼에 날개를 달아줘. 생각의 감옥에 갇혀 괴로워하던 너에게 희망과 용기와 자유를 선사해.

　수많은 이야기 중 너의 답을 풀어줄, 네게 열쇠처럼 꼭 들어맞는 결정적인 진리 자락을 만난다면, 네 가슴에 굳게 닫힌 철벽문이 드디어 무너지고 그 안에 숨겨진, 오랫동안 풀리지 않았던, 아프고 고통스럽고 한스러웠던 문제 덩어리가 스르르 녹아서는 눈물로 씻겨 내려가.

　다시 태어나는 기분을 느낄 거야. 세상이 맑아지고 개운해지고 명백해질 거야. 언제는 너의 가슴에 화이트홀이 생겨. 희망과 기쁨의 빛이 솟아오르는 듯한 환희를 느낄 거야.

　우연처럼 인연처럼 운명처럼 만난 그 진리가 우울증 극복을 뛰어넘어, 너의 인생길 전체를 비춰줄 빛나는 태양이 돼 줄 거야. 너의 삶을 뒤바꿔 줄 거야. 더 좋은 방향으로, 더 밝은 세상으로, 더 자유롭게.

　스몰에스, 너도 너의 태양을 어서 만났으면 좋겠다~~^^☆

✽1_ 만남과 헤어짐

어제 갑자기 노트북이 먹통 되는 바람에 얼마나 놀랐는지 몰라. 고객센터에 문의하니, 전원 자체가 안 들어오고 어댑터 충전기에 불도 켜지지 않는다면, A/S를 맡겨야 한대서, 택배를 보내려고 노트북을 포장해 뒀어. 한동안 모아둔 자료가 날아갔으면 어쩌나 조마조마. 백업을 했어야 했는데, 이것저것 하다 보면 잊어버리기 일쑤라, 휴…… 어쩌겠어, 당장은 워드 작업 말고, 다른 일을 먼저 할 수밖에.(2020.11.20.당시)

(다행히 노트북 수리됐고, 자료도 보존됐어.

십년감수했네. 휴. 2020.11.30.)

_____

1

각자 상황은 다양하겠지만, 우리가 우울해지는 대부분의 이유가 사람과의 관계 속에서 상처를 받고 아파하는 경우야. (1)남녀가 만나고 헤어지는 과정에서, 이성으로 통제할 수 없는 문제에 부닥쳐 괴로워할 때도 있고, (2)사회생활을 하다 대인관계에서 극심한 스트레스를 받는 상황도 허다하지. 이럴 때 우리가 어떻게 생각을 하며 대처해야 좋을지 얘기하려 해. 지난번에 계속했던 얘기와 같은 맥락이겠으나, 생각의 방향을 틀어주는데 더 구체적으로 도움이 될 거야.(1)

2

예를 들어볼게. s, 네가 T라는 사람을 만났다 치자. T는 성격도 좋고 말도 잘하고 인기도 많아. 매력적인 T가 너에게 다가와 대시 했고, 너 또한 그(또는 그녀)를 좋아하게 됐다 하자. 서로를 알아보는 단계를 거치지 않고 첫눈에 반해 인연을 맺는다면, 얼마 안 지나 고개가 갸우뚱거려지는 일이 생길지도 몰라. 한순간 엿보인 그의 이상한 행동에 발길이 멈칫거려지지만, 눈에 콩깍지가 쓰인 너는 별일 아닐 거라고 지나쳐 버리겠지. 달콤한 사랑의 감정을 별거 아닌 의문으로 흩트리고 싶지 않을 테니까.

T의 모순된 행동이 심해가서 약속을 자꾸 어기고, 말을 함부로 내뱉고, 대화를 회피한다면 어쩌겠니. s가 남녀 사이에 얼마든지 궁금해할 수 있는 질문을 하는데, 그는 너를 피곤한 스타일이다, 집착이 심하다, 오히려 s를 이상한 사람으로 치부한다면 어떨까. 예전에 고개를 갸우뚱거리게 했지만 무시했었던, 별거 아닌 시그널이 빙산의 일각이었음을 네가 뒤늦게 깨닫게 되는지도 모르겠어. 바닷물 속에 가려진 상대의 또 다른 삶을 네가 직면한다면 헉! 놀라 자빠지게 되는지도.

그는 애매모호한 태도를 유지한 채 너를 교묘하게 속이면서 딴 모습을 보여주었기에, 눈치 없고 순진한 s는 T의 진짜 모습을 오랫동안 또는, 그와 헤어지고 나서도 모를 수 있어. 이성 친구를 사귀어 본 적 없고 감수성이 풍부하며 한 가지에 올인하는 해바라기 유형이, 이기적이고 욕심 많고 은근슬쩍 거짓말을 잘하는 상대를 만났을 경우, 전체 상황이 어떻게 돌아가는지 분별할 수 없어 괴로울 거야.

뭔가가 잘못돼 가는 듯한데, 그 뭔가가 도대체 뭔지는 모르는, 불확실성에 갇혀 끊임없이 고통스럽겠지. 상대의 불투명한 행동에 갑갑하지만, 그 문제를 스스로 해결할 능력은 없고, 관계를 가위처럼 잘라내고 도망칠 힘도 없으니, 가슴속에 원망만 품겠지. 하늘님, 제가 뭘 잘못했다고, 이런 나쁜 놈을 만나게 했나요. 전 그래도 착한 편인데요. 모르겠어요.

3

초창기에 이상한 신호를 포착했을 때, 끝낼 각오하고 T를 붙잡고 의구심에 대해 확실히 알고 가든, 대화로 합의점을 끌어내든, 영 찝찝하면 인연의 끈을 놓았어야 했어. 안 좋은 지경이 답답한 안개 속에서 장기간 속앓이하다, 충격적인 상황을 겪고서야 둘의 얘기가 강제 종료되는 경우야.

이 관계가 소통이 안 되고 동등하지 않다 느꼈긴 했지만, 이 애정만큼은 진실하다고 그놈의 운명이라고 믿었던 그 사람이, 실상은 너 말고도 제2, 제3의 누구에게 문어발을 걸쳤던 놀라운 인물이었음을 쾅! 알게 되는 날이……. (행여 상대의 실체를 모르고 끝날지라도, 그와 실제 만났든 감정만 교류했든 간에 그동안은 숨통이 콱 막힐 듯 지옥을 사는 기분이었겠지.)

아, 여자는 왜 사랑에 관해 근거 없는 환상을 품었을까. 왜 쉽사리 남자를 믿어버린 걸까. 우리의 만남은 우연이 아닌 운명이라고, 평생 올까 말까 한 인연이기에, 지금은 힘겹더라도 언젠가는 영화처럼 해피엔딩이 되리라, 확신한 걸까.

얼마 만에 느끼는 달달 아이스크림 설렘이던가, 잠자던 연애 세포를 짜릿짜릿 깨어나게 한 그대여, 드디어 만났구나. 사랑의 마술에 풍덩 빠져 한순간에 내 인생을 타인에게 던지겠다고 생각한 거지. 내가 너를 언제 봤다고 얼마나 많이 안다고. 내가 나도 모르는데 생판 남인 너를 어떻게 안다고.

어렸을 적에 순정만화와 로맨틱 드라마를 많이 보며 공상한 탓인가. 평범한 현실 세계 사람이 왜 픽션의 특별한 여자주인공이 될 것이라 착각했던가. 테리우스 같은 왕자님이 짠 나타나 쓸쓸했던 삶이 행복해지리라. 외로워도 슬퍼도 나는 안 울어. 참고 참고 또 참지, 울긴 왜 울어. 참고 기다리면 사랑은 끝내 이루어지리라, 꿈은 이루어진다. Dream come true, 꿈꿨던가.

현대사회가 어떤 세상인데. 여기저기 악어들이 입을 악, 벌리고 먹잇감을 노리는 정글인데. 요즘 정글 세상에는 사랑도 빠르고 치열하고 냉정하다네. 순수한 사랑을 바라기에는 시대가 각박해 버렸다네. 계산기 두드리는 욕심쟁이 사랑꾼들이 가면을 쓰고 어린 양들의 영혼을 빨아먹으며 배를 채운다네. Truelove는 도서관 종잇장에 박혔고, 영화관 스크린 속에서만 살아있는가. 진실한 사랑은 하늘에 별처럼 머나먼 이야기 같네.

_____

(그림자 길음2)

올바르게 걷기2: 엄지발가락으로 확실히 차 준다.2)

4

상대가 어렵게 하며 다가온다면 어떻게 해야 할까. 자연의 법칙에 의하면, 상대가 힘들게 하며 접근하는데도, 그것도 내 공부인 줄 알고 다 받아들이려 하는 건 미련한 착한 방법이야. 냉철해야 해.

당신이 이렇게 하는 행동이 불편하다, 내가 그것을 받아들일 만큼의 수준은 아니니 이런 식으로 안 했으면 좋겠다고, 처음부터 얘기할 줄 알아야 해. 애초부터 선을 딱 그으면 상대는 투덜대면서도 더는 거만하게 못 다가와.

받아들일 만한 걸 갖고 함께 가야지, 이것저것도 내 공부인 줄만 알고 상대의 나쁜 행위를 슬슬 받아주면, 그의 안 좋은 짓거리는 점점 심해져 가. 상대가 하는 욕을 꿍꿍대면서도 참아주잖아, 다음엔 그가 욕하기가 쉬워져. 딴 사람은 안 받아주는데, 이 사람은 가만있네. 딴 데 할 욕도 여기에 갖다 쏟아부어. 험한 말을 해도 되는 편한 여건을 네가 만들어 줬으니까.

초기부터 잘못된 행동은 잘못됐다고 표현을 해야, 상대가 이에 맞게끔 스스로 정리해서 다가와. 그가 옳지 않은 언행을 고치겠다 하면 다시 노력해 봐야겠지만, 상대가 버릇을 반복한다면, 지금은 우리가 만날 때가 아닌 것 같다고 끊어야 해.⑵

(모순된 행동을 하는 상대를 내 공부라 삼으면서라도, 네가 그 관계를 끌고 가겠다면야 어쩔 수 없지만, 붙어있으면서도 상대방을 불평할 거라면 떠나는 게 맞아.)

(그림자 걸음3)

5

어려워. 가슴이 설레며 상대에게 끌리는 중인데, 머릿속으로 그만하겠다고 판단해서, 그를 향해 흘러가는 감정을 싹둑 잘라낼 수 있을까. 인연이 닿아 눈에 콩깍지가 끼어 버렸는데, 한번 보고 관둬질까 말이야.

헷갈릴 수 있어. 좋은 인연뿐만 아니라 나를 힘들게 할 사람 역시 처음 만날 땐, 귀신에 홀린 듯 두 눈에 하트 뿅뿅 생기잖아. 이 둘을 어떻게 분별하냐 말이지. 괜찮게 여겼던 사람이 안 좋아질 수도, 아니다 싶은 사람이 나중엔 괜찮아질 수도 있는데……

(너를 고달프게 할 사람도 인연이라서, 신이 네 눈에 콩깍지를 덮었었나 봐. 그를 통해 자기 부족함을 깨닫고 변화를 일으켜 한 걸음 더 성장하라고.

좋은 인연을 만나더라도, 상대를 존중하며 서로에게 도움 되는 노력을 해야, 장기적인 관계 형성도 가능해. 인연은 신이 맺어주지만, 그것을 지속하고 만들어나가는 건 인간의 노력이라 하잖아.)

네가 상대를 통해 자기 모자람을 알아차리는 공부를 하기 싫다, 그와의 인연이 고통스러우니 중단하겠다면, 뒤돌아서면 돼. 문제는 s가 T보다 질량이 약하면, T가 인연의 끈을 놓지 않는 이상, 너 스스로 그 굴레를 나오기가 쉽지 않다는 점이야.

약하면 끌려가게 돼 있으니까. 블랙홀이 중력이 세서 주위 별을 다 집어삼키듯, 작은 별이 블랙홀에 딸려 들어가는 중인데, 가벼운 별이 빠져나오고 싶다고 해서 탈출이 가능할까, 벌써 무거운 별에 먹혀 버렸지. 비슷한 원리야. s가 약하면, 질량이 센 T에게 벗어나기가 수월치 않아.

(포근하게 반겨주는 나무들~)

6

과정이 어찌 됐든, 우여곡절 끝에 s가 T와 헤어졌다 치자.

1)이별의 통증을 또 다른 사랑으로 빨리 잊으려는 사람이 있는
데, 새로운 이성을 덜컥 만난다 해서 괜찮아질까. 대부분은 과거
사람과 별반 다르지 않거나, 더 고약한 인간과 이어져 마음고생을

하게 돼.

왜냐, 네가 자기모순을 알아차리지 못했고 질량이 변하지 않았기 때문에, 더 나은 에너지를 가진 인연과 연결이 안 돼. 설사 좋은 사람이 온다 해도, 상대를 바르게 대하지 못해, 관계를 오래 유지할 수 없어. 한쪽으로 심하게 기울어진 차이의 부담을 그대로 붙잡고 간다고 하면, 질량이 작은 쪽이 계속 눈물 흘리며 끌려다닐 수밖에. 악순환이야.

2)원치 않게 헤어졌다 할지라도, 상대를 탓하고 원망해서는 안 돼. 물론 우리는 감정에 영향을 받는 평범한 인간인지라, 실제 상황에서 네가 진심을 쏟아부은 상대가 배신한다면, 화나고 억울해서 동물 새끼 어쩌고저쩌고 욕이 튀어나올 수도 있겠지만, 그 시간이 짧아야 해.

넌 어느 면에서는 잘났지만, 어떤 측면에서는 세상을 몰랐어. 사람은 사람을 느껴서, s가 한쪽이 약해 보이니까, 상대가 그 여린 부위를 흔들어 다뤘던 거야. 네 질량이 결핍되지 않았더라면, 그는 악역을 하러 오지 않았어. 자신을 갖추라고 너를 일깨우기 위해 역할을 한 사람을 원망하면, 안타깝게도 s의 상황만 더 나빠져.

(s는 T를 미워하며 이불 뒤집어쓰고 우는데, 같은 시각 그는 이 사람 저 사람 만나며 룰루랄라. 재밌다면 누가 환자겠니. 더 아픈 사람이 환자겠지. 참 야속하지만, 우울증에 걸린 네가 환자야. 이게 냉정한 현실 팩트야.)

남을 탓하는 탁한 생각은 상대에게 날아가지 못해. 자신을 무겁게 끌어내리는 힘으로 작용해. 불평하면 할수록 자기가 혼탁해지고 무거워져, 침울한 검은 바다로 침몰하는 사람은 상대가 아닌 본인이야. 타인을 미워하는 생각을 버리기만 해도, 현재진행 중인 그 추락을 일단 멈출 수 있어.

남 탓을 중지하고, 자신을 살펴봐 봐. 치우쳐 생각하며 살아온 뭔가가 있었는가. 골고루 질량을 갖추지 못했는가. 햇볕 내리쬐고 비바람 몰아치는 넓은 세상의 다양함을 모르고, 거실에 화분 꽃처럼 따뜻하게만 지냈는지. 편견과 고집으로 내가 보고 싶은 것만 보고, 듣고 싶은 것만 들었는지. 주변인의 희생을 먹고 자라서는, 해야 할 일을 안 하고, 오랫동안 정체하고 있는 건 아닌가. 알아차리는 게 중요해.

(벤치에 앉아 따뜻한 커피~)

7

과거로 돌아가 T를 만나게 된다면, 어떤 선택을 하겠니.

아픈 인연임을 알고 있으니, 넌 그와 마주치면 도망치듯 피하고 싶겠지. 그런데 앞으로 펼쳐질 일을 모르는 어린 꽃으로 돌아간다면, 상대와의 만남을 거부할 수 있을까.

하루하루 고단하고 지루하게 살았던 삶에, 선물처럼 나타나 가슴 설레는 사랑의 감정을 피어오르게 하는 사람을, 각박한 세상에 먼저 다가와 손 내밀어 준 사람을, 처음 봤어도 오래전에 알고 지냈던 거 마냥 편안한 사람을 외면할 수 있을까. 세상 물정 몰랐던 순박한 너에게 인생의 또 다른 이면을 가르쳐주러 온 사람을, 부족한 질량을 채워주러 온 인연을 회피할 수가 없을 거야.

보이지 않는 어떤 힘이 간여했는지 모르지. 너를 집 밖으로 꺼내기 위해 네 상황을 어렵게 만들어 놓았겠지. 돈을 벌려면 사회로 나와야 하니까. 여러 번 구직 시도 끝에 얻은 일자리에서 왜 상대와 대면했을까. 생계 활동이라는 틀에 한동안 머물며 인연과 공부를 하라고 작업한 것일까. 어쩌면 전생 인연이 현생에도 이어져, 그는 너에게 빚 받으러 온 빚쟁이일는지도 모르지.

인연을 거부하기란 불가항력적이야. 혼자 파도에 휩쓸리지 않겠다고 다짐한다 해서, 넘실대며 밀려오는 물결을 피할 수 없듯. 눈에 콩깍지가 쓰여버렸다는 건, 이미 인연이 걸려버렸다는 뜻이래. 그래서 머릿속에 그 사람 생각뿐인가 봐. 밥을 먹다가도, 길을 걷다가도, 창밖을 멍하니 보다가도, 귀여운 얼굴이 동실동실 떠오르나 봐. 그대라는 비물질에너지가 내 영혼 에너지에 유령처럼 스며들었거든. 동실동실 줄곧 따라다녀.

신이 콩깍지를 덮어 인연을 맺어준 것은, 너희들이 풀어야 할 공부가 있기 때문이라고 해. 서로에게 결핍된 질량을 보완하면서 함께 성장하라고.

같이 도우며 상생하라는 뜻이 인연수에 내포됐지만, 기초공부가 덜 된, 부족한 사람들이 손을 잡다 보니, 처음엔 좋아서 이끌렸다

해도, 시간이 흘러서는 상대를 위하지 않고 자기 욕심으로 관계를 끌고 가려 해서 문제가 일어나.

시작은 달콤했으나 상처를 주고 떠난 존재일지라도, 그는 네 모자람을 일깨웠고, 네가 경험하지 않은 다른 세상을 보여줬어. 조용하고 순하게 자란 세계를 깨트리고, 지저분하고 이기적이고 냉정하며 배반적인 현대사회의 쓴맛을 맛보게 했겠지. 정글 같은 세상에는 사랑도 약육강식처럼 물고 뜯고 지옥처럼 독하다는 사실을, 네가 약하면 영혼조차 남에게 뺏길 수 있다는 현실을 알려주고 바람처럼 사라졌을 테야.

인연을 피할 수 없다면, 어떻게 하는 게 좋을까. 과거로 돌아가 어린 꽃을 만나면, 그녀에게 자연의 법칙이 담긴 콘텐츠 파일을 건네주면서 말해 줄 거야.

스몰에스야, 좋은 인연 나쁜 인연이 없다. 누굴 만나도 나를 성장하는 배움으로 감사히 여겨라. 인연은 서로 도우며 상생하라고 맺어졌단다. 사람을 바르게 대하지 못해 남과 충돌이 생기더라도, 그를 원망하지 마라. 부닥치는 순간은 화나겠지만, 그 시간이 짧아야 한다. 자연은 타인을 미워하는 사람 편을 들어주지 않는단다. 내 모자람을 가르쳐 준 역할자를 탓하면 본인만 어려워진단다.

상대를 제대로 알지 못했구나. 내 뜻대로 그가 움직이지 않는다고 짜증을 냈구나. 내가 치우쳐 생각한 뭔가가 있었구나. 타인을 이해할 수 있는 질량을 골고루 갖춰야 하는구나. 머무르지 말고 변화를 일으켜 나아가야 하는구나, 알아채렴.

그렇다고 괴로운 인연을 미련하게 참으라는 얘기가 아니야. 소통이 안 되면, 우선 떨어져. 불평하며 붙어있으면, 꼬이기 시작해. 상대가 버거워 그를 통해 공부하기가 애달프다면 뒤돌아 떠나면 되겠지만, 그게 말처럼 수월치 않을 거야. 내 질량이 낮으면, 타인에게 의존성이 생겨버려서, 스스로 인연의 끈을 자르고 나오기가 힘겨우니까. 결론이다. 두 가지 방법이 없다. 너의 해답을 풀어줄 자연의 진리를 만나, 몰랐던 것을 이해하고 알아서 **영혼의 힘을 키워야 해.** 힘이 생겨야 뭘 자르고 나와 도망치든 할 거 아니니.

＊＊＊＊＊＊＊＊＊＊＊＊＊＊＊＊＊＊＊＊＊＊＊＊＊＊＊＊＊＊＊＊＊

＊2 　사회생활에서 오는 어려움

1

사회생활을 하면서 대인관계에서 오는 어려움도 마찬가지야. 실력 없이 욕심부려 성공하려고만 들면, 사기를 당해. 자기모순을 생각 안 하고 사기꾼을 자꾸 나무라면, 또 뒤통수를 맞지. 잘못을 깨달으라고 자연이 다시 시험지를 던져주거든.

일을 곧잘 해내는 s, 너에게 K가 귀가 솔깃한 프로젝트를 제안했다고 하자. 인생에 쉬이 오지 않을 기회라고 확신한 너는 제안을 받아들였고, 그 작업에 밤을 지새우며 열정을 불태웠어. 수개월 후 노력의 결과물을 K에게 보냈지만, 그는 이런저런 핑계를 대며 약속을 미루다, 연락 두절을 한다면 어떻겠니. 너는 화나고 억울하겠지. 수많은 시간을 온 힘을 쏟아부었는데, 한순간에 허무하겠지. 상대를 원망하며 며칠을 앓아눕다가는, 소송한다고 법원을 쫓아다니면서 정신없겠지. 생활비도 바닥났는데, 민사소송하려면 돈이 필요하네, 누군가에게 빌리려던 참에 전화 한 통을 받고 대출했네, 알고 보니 그 전화 보이스피싱이었네. 두 번은 안 당해야지 생각했지만, 또 당한걸. (상황이 절박하면 사람 눈이 가려져 부지불식간에 엉뚱한 선택을 하거든.) 하늘도 무심하지, 착실히 살려고 노력했는데, 세상은 왜 나를 속이는 거야. 사기꾼을 탓하고 세상을 불평하겠지. 넌 한동안 고난에서 못 벗어나겠어. 빚 갚으려면 삶이 고단할 테니까. 아, 세상 물정 몰랐던 어린 청춘 어떻게 해야 할까.

(하산~)

2

사기꾼을 만났을 때도, 나쁜 남자를 만났을 때와 같은 원리가
적용돼.

그동안 s가 옳지 않게 생각하며 살아온 것들이 있었어. 그 탁함
이 조금씩 모여 한계점에 도달했을 때, 네 질량이 부족하다는 사실
을 알려주기 위해, K가 사기꾼으로 왔으니, 그 임무자를 탓하지는
말아야 하지.

지난날 난 맞다고 한 행동이 누군가에게는 모순으로 작용해, 그
들을 힘들게 하지는 않았는지, 난 내가 착하다고 생각하지만 남이

보기엔 그것이 고집은 아니었는지, 주변 사람들 말을 받아들일 줄 모르고 아집만 부렸는지, 독한 말로 타인을 짓누르지는 않았는지, 직접 표현은 안 했지만 그들이 느낀 불편함이 쌓이고 쌓여, 어느 날 예상치도 못한 일로 너에게 아픔으로 돌아온 거야.

※ 자연의 이치
남 탓과 불평불만의 최후의 코스

1_모든 일은 필요해서 오므로(3)

인간이 살아가는 법칙 중에서 가장 안 좋은 행위가 남 탓하고 불평불만 하는 것이다. 남 탓하고 불평불만 하는 순간에 본인도 모르게 어려워지기 시작한다.

뭔가가 안 되는 것은 실력이 부족해서이다. 세상 모든 조건은 내게 필요해서 오는데, 자신을 갖추지 않으면, 다가오는 상황을 바르게 대처를 못 해, 일이 풀리지 않는다.

전쟁 속 폐허 속에 태어났어도, 네가 그 자리에서부터 인생을 시작해야 할 이유가 있기 때문이다. 어느 위치에 태어나도 자기에게 맞게 태어났다. 지난 삶과 미래를 아우르는 흐름 속에 내가 갖추어야 할 질량이 있어서, 그 함의에 충족되는 출발점에서 태생했다.

자연의 법칙으로 너에게 알맞은 환경을 준 것이니, 이를 불평하면 하는 만큼 어려워진다. 지금 이 자리에서부터 잘 풀어가면, 더 좋은 세상을 열 수 있고, 더 좋은 인연을 만날 수 있으며, 더 빛나는 일을 할 수 있으니, 불평불만 하지 마라.

2_남 탓과 불평불만의 최후의 코스[4]

엄청 깝깝하고 힘들 때는 남 탓도 불평불만도 안 한다. 깝깝하다 죽는다. 여기서 일부는 죽고 일부는 남는다. 본인의 모순을 못 깨우치고 남는 사람들은 이제 불평불만 한다. 불평불만 하는 사람들은 자살 안 한다. 불평불만을 하면서 몇 년을 가면, 어려워진다. 사고가 일어난다. 사고가 생겨 이들이 남 탓을 하기 시작하면, 아파서 자빠진다. 병원에 누워서도 못 깨우치면 죽는다. 이게 남 탓, 불평불만의 최악의 최후의 코스다.

어떤 일에 부닥쳤을 때, 우리에게는 남을 탓하고 불평하는 나쁜 버릇이 있어. 좋지 않은 습관이 무엇인지 확실히 인식해야, 앞으로 똑같은 시행착오를 반복하지 않겠지.

※여기서, 내 모순을 깨달을 때 주의사항이 있는데, 자책에 빠져선 안 된다는 점이야! 모두 내 탓이다, 난 무가치하다, 이런 식으로 과도하게 자책에 파묻히면, 이 또한 고통에서 벗어날 수가 없거든.

인간은 누구나 잘못할 수 있지. 털어서 먼지 안 나는 사람이 어디 있겠어. 자기모순이 뭔지를 파악하고 움직여 나가야지, 부적절한 죄책감에 매몰돼서는 안 돼.

(내 생각에 오류가 있을 가능성을 인지하는 게 중요해. 이런 생각을 해서 이런 행동이 나왔구나, 아는 것부터 시작이야. 잘못된

생각에 갇혀서 그것을 고수한다면, 더 이상의 발전이 없겠지. 자기 객관화를 할 수 있어야 하고, 그 객관화를 할 수 있는 기준이 되는 모델을 잘 찾아야, 현재 상황에서 변화가 일어날 수 있어.[3]

나는 자연의 진리에서 그 모델을 찾았던 거야. 내 생각에 오류가 있을지도 모른다. 그 오류의 판단 기준이 자연의 이치였던 거지.

지금까지 우리는 일반지식을 학습해 상식을 쌓고 성장해 왔어. 이 상식을 뛰어넘는 진리를 흡수해야 무엇이 옳은지 그른지 판단할 수 있어. 여태껏 이런 생각을 했었기에 이런 행동을 했구나, 자각할 수 있게 돼. 바른 법칙을 하나하나 흡수해, 생각의 오류를 깨닫고 그것을 개선해가는 노력을 이제부터 하면 되는 거야.)

어려움에 처했다면 아, 내가 바르게 생각하지 않았던 게 있었구나, 인식하고, 앞으로 나아가. 물론 사람이 단번에 바뀔 수는 없지. '어려움-알아차림-앞으로 나아감' 이런 과정을 반복하고 또 반복하면, 조금씩 긍정적으로 변화하는 자신의 모습을 볼 수 있을 거야.

※ *자연의 이치*

알면 됐다[5]

옛날엔 내 행동이 탁한지 몰랐는데, 이제는 안다는 건 그만큼 성장했다는 얘기다.

알긴 알았는데 좋지 않은 습관이 안 없어진 것 같다면, 일단 그 정도만 인식하고, 다음 것을 흡수해라.

아, 내가 왜 그렇게 그랬을까, 못난 것을 자책하며 미련 팔지 마라. 자연의 진리를 접해 바른 이치를 알았으면 됐다. 다음 걸 흡수하라. 또 알면 넘어가라. 또 다음 걸 흡수하라. 그러다 보면 내가 탁 성장해 있는 거다.

인간은 이해하는 동물이다. 지금 상처받는 이유는 질량이 높은 게 오니까, 처리 못 해 아픈 것이다. 내 질량을 쌓아서 그걸 접하면 이해된다. 이해되니, 예전과 같은 자극으로는 이젠 상처가 안 된다. 이해해서 내 힘으로 쓸 수 있는 것이다.

———————————

3

과거로 회귀해 K를 만나게 된다면, 어떤 선택을 하겠니. 앞으로 펼쳐질 일을 모르는 어린 양으로 돌아가 예전과 똑같은 상황에 직면한다면, 그때와 똑같은 선택을 할 수밖에 없을 거야.

먹고 살기 위해 하루하루 고달프게 쳇바퀴를 굴렸던 청춘에게 앞날에 새로운 희망을 보여준 프로젝트 제안을 목마른 젊은이가 거부할 수는 없을 테니까. 모래사막에 촉촉한 단비 같은 행운을 건네줄 귀인인 줄 알았겠지, 어린 양의 순수한 노력과 열정을 훔쳐먹고 도망가는 사기꾼인 줄이야 몰랐을 테니까. 그 당시엔 그 선택이 쥐구멍에 숨통을 트여줄 최선책이라고 판단했으니까.

그 시절의 그녀를 만난다면, 자연의 법칙이 담긴 콘텐츠 파일을 건네주면서 말해 줘야지.

스몰에스야, 자신을 갖춰 질량을 쌓는 게 얼마나 중요한지 아느냐. 질량이 약하면 자기 인생을 못살고 이 사람 저 사람한테 휘둘리며, 탁한 기운에게도 네 영혼을 뺏길 수 있느니라. 네 삶을 바르게 당당히 주체적으로 살아가려면, 자연의 이치를 알아야 한다. 아는 게 힘이다.

일반지식은 잘 보고 잘 들어놓고 필요에 따라 적절히 사용하거라. 결정적으로 자연의 진리가 네 닫힌 생각의 틀을 깨트려 열어주고, 네 영혼을 바람처럼 훨훨 자유롭게 할 것이다. 어떤 생각으로 어떻게 살아야 할지 인생의 바른길을 안내해 줄 것이다. 즐겁고 기쁘고 행복해질 것이다. 이 진리, 자연의 법칙을 보물처럼 귀중히 여기며 마음껏 활용하며 살아라.

세월이 흘러 뒤돌아보니, 지난날 마주하던 모든 인연이 내 결핍을 보완해주고 나를 발전시키기 위해 연결된 사람들이었구나, 깨달아.

그 중 임팩트가 강렬했던 소수의 몇몇 인물들은, 내가 경험하지 못했던 보이지 않는 다른 세상을 가르쳐줬어. 순진하고 약한 세계를 무너뜨리고, 세상 보는 눈을 트이게 했어. 나를 둘러싼 알의 딱딱한 껍질이 깨지기 위해선, 지금까지 체험하지 못했던 다른 에너지와 만나야 하기에, 그때는 내 영혼이 깜짝 놀랄 만큼 감탄하거나, 때로는 타격을 받아 고통스럽기까지 했어. 알껍데기가 부서지려면, 그 정도의 충격이 필요했던 거야.

고마운 사람뿐만 아니라, 상처를 준 사람 역시 날 변화시켰어. 다만 내가 인연을 바르게 대하는 방법을 몰라, 귀인에 대해 감사함을 느껴도 그들을 범접하기가 두려워 회피하거나, 또는 아픔을 준 대상이 미워서 원망을 품고 부정적인 감정에 빠져, 내 무덤을 스스로 팠을 뿐이지.

자연이 어떻게 운용되는 원리를 그때 알았더라면, 그렇게 오랫동안 감정을 소모하며 인생을 허비하지 않았을 텐데. 좀 더 유연한 자세로 상황을 대처하여, 우울한 검은색 바다에 완전히 빠지는 사태를 예방했을 텐데. 한동안은 어쩔 수 없이 슬픔에 잠기더라도, 고통스러운 감정에서 헤어나올 수 있었을 텐데.

실력을 갖추지 않은 자가 한방에 크려고 탐욕을 내면, 주변으로부터 들어오는 환경이 본인을 채찍질하는데, 그때 누군가의 말 한마디에 영혼이 충격받아. 전기를 잘못 만져서 스파크가 튀고 제품이 고장 나듯, 우리는 에너지이기에 인간과 인간이 잘못 다가가면, 쇼크가 일어나 상처를 입고 후유증이 오래가. 그런 아픔이 반복되면 우울증이 와.

20, 30대 청춘은 욕심낼 시기가 아니다, 사회를 바르게 알기 위해 노력해야 할 시절이다. 세상이 학교다, 무엇이든 공부라고 생각하라. 사회를 관찰하며 환경을 흡수할 기간이야. 겸손한 자세로 세

상을 배울 때에, 형편을 불평하고 남 탓하고 계산하고 나 잘났다 생색내면, 누가 와서 채질해도 해.

네가 갖춘 재주, 지식, 기술, 경험이 온전히 네 것인 줄 착각하지 마라. 국민의 피와 땀으로 일구어 놓은 사회 환경을 네가 먹고 발달한 것이지, 그것이 오로지 네 것이 아님을 알라. 인류가 살아오면서 축적한 역사와 모든 사회 환경을 참고서 삼아 보고 들어서, 궁극적으로는 이보다 더 질량 있는 답을 이 세상에 펼쳐 놓아야 할 임무가 오늘을 사는 우리에게 있단다.

주어진 환경을 불평하지 마. 난 왜 이런 환경에 태어나 이렇게 고생할까. 주변 사람들은 다 이 모양이야. 저 선배는 왜 날 못 잡아먹어서 안달이지. 하던 일 또 하기도 지겹다. 매일매일 제자리걸음. 숨 막혀. 빨리 돈 벌어 이 굴레를 빠져나오고 싶다. 독불장군으로 혼자 열심히만 하면, 잘 될 것 같아도 안 돼. 사회 조직 생활 속에선 모난 돌은 뒷담화와 시기의 대상이나 되고 모함을 당하기 일쑤지. 그렇게 몇 번을 주저앉아버리면, 나중엔 스스로 일어날 힘조차 없어져. 내가 뭘 잘못했는데? 열심히 살려고 노력했다고! 삶이 나를 속였다고 하늘을 원망하며 아까운 인생을 허비하겠지. 내 사고의 방향이 바르지 않다는 사실을 깨닫지 못한 채 말이야.

(사회 모든 환경은 답이 아니라, 참고서이다)

이제는 생각의 패러다임을 바꿔야 해.

우리의 영혼에서 어떤 생각을 일으키느냐에 따라, 같은 일을 하더라도 그것이 노동이 될 수도, 교육이 될 수도 있어.

돈만 벌려고 일하면 내가 성장하지 못하고 돈의 노예가 되지만, 일속에서 어떻게 하면 더 나은 방향으로 발전할까, 생각의 에너지를 바꾼다면 여기에서부터 보이는 범위가 확장되고 지식이 창출되면서 연구원으로 발전해.

똑같은 조건에 두 사람이 일하러 가는데, 한 사람은 돈 벌러 가고, 다른 한 사람은 물건을 사용할 사람을 위해 직장에 간다 치면, 누가 노동자이고 누가 진보하는 사람일까. 후자가 일을 통해 자신을 향상시키는 사람이겠지. 어떻게 물건을 만들어야 고객이 편리하게 사용할까, 방법을 연구하며 제품을 쓸 사람을 위해 일하니, 일의 노예가 되지 않고, 진화하는 자유로운 사람이 될 수 있어.(6)

직장은 제2의 학교_우리는 일을 통해 성장한다

젊은이들, 세상의 어려운 것을 몸소 경험하면서 아르바이트를 하도록 내모는 것은 현장 공부하라는 의미가 담겼다.

돈만 벌겠다고 배달하면 돈과 일의 노예가 된다. 이런 환경을 주었으니, 이 때 여기저기 안 보았던 것을 경험하겠다, 생각하면 오며 가며 주변을 살피는 것이 다르다.

공부는 책 속에만 있는 게 아니다. 보고 들리는 모든 환경이 내 배움이다. 질이 안 좋은 상황이 왔다고 불만하면, 내 인생만 힘들어진다. 이것을 어떻게 연구거리로 삼아 소화할 것인가, 노력하는 과정에서 힘이 길러진다. 내 앞에 온 환경을 얼마나 바르게 흡수하느냐가 실력으로 변한다.

돈만 벌러 다니는 청춘이 되지 마라. 그 자리에 갈 수 있음을 감사하고, 그 곳에서 뭐를 발견하는가 점검하라. 세상의 거친 일도 봐야, 이 탁한 모순을 뜯 어고칠 수 인재가 될 수 있다. 지금 하는 일은 더 나은 미래를 위해 현장 공 부한다고 생각하라. 내게 오는 일에 감사하고 그 안에서 내 공부를 찾아라.

세상을 바르게 보면서 노력하면, 너에게 다른 활동을 하도록 도와주는 인연 이 온다. 그 인연을 네가 어떻게 대하느냐에 따라, 네 인생이 달라질 것이다.

4

(진리는 우리 인생길을 비춰주는 태양과 같아~)

이태까지 우리는 사회 제도 교육에서 자연의 원리를 배운 적이 없어. 수학과 과학에 공식이 있듯, 우리네 인생 속에 자연이 운용되는 법칙이 엄연히 존재해. 자연의 진리를 알아야, 혼탁한 세상에 길 잃지 않고 옳게 살아갈 수 있어.

우울증은 100% 낫는 병이야.

자, 너보다 에너지가 센 상대에게 네가 휘둘려서 상처를 받았다면, 상대의 그것보다 크고 바르며 좋은 에너지를 흡수해, 너의 기운을 회복해야겠지.

상대를 미워하는 탁한 생각을 버리고, 우울한 검은색 바다에서 너를 구해줄 진리 에너지를 붙잡고 일어나, 지상 밖으로 올라와!

자연의 이치를 하나씩 알고 이해하며, 내 모순을 바르게 잡아가는 노력을 느리더라도 꾸준히 해나간다면, 질량이 높아져서 영혼에 힘이 생겨. 힘겹게 하던 탁한 사람과는 생각의 주파수가 달라지므로, 그(그녀)와 관계가 끊어지고 변화된 에너지에 맞는 새로운 인연이 찾아올 거야.

s, 너를 떠난 그 사람, 너를 속인 그 사기꾼, 두고두고 원망하지 말고 그 시간에 자신을 갖추는 노력을 하며 일어나자꾸나. 일반지식뿐만 아니라, 주위에서 오는 모든 환경과 인연들이 내 모자람을 일깨워주고 채워주는 공부다, 세상이 큰 배움이다, 생각하자꾸나. 재밌게 접하기만 해도 결핍된 기운을 보완해주는 신기한 진리 이야기를 통해 우리의 질량을 높여 보자꾸나.

s가 현재 어떤 일로 좌절했다면, 한동안은 몹시 괴롭겠지만, 옛날에 그 누구처럼 길을 몰라서 오랜 세월 어둠을 헤매지 않았으면 해.

(지금의 나 역시 부족함이 많아 자신을 갖추려 노력하고 세상을 새롭게 알아가며 배우는 중이야. 운이 좋아 내가 먼저 알게 된, 보물 같은 귀중한 자연의 진리를 너에게도 일러주고 싶었으니, s는 지난날 나처럼 시행착오를 겪으며 소중한 인생을 허비하지 않길 바라.)

우울증을 앓으면 가슴에 블랙홀이 뚫려 온몸의 에너지가 땅속으로 빨려 사라지는 것 같다면, 이 진리를 품으면 너의 가슴에 화이트홀이 생겨 희망과 기쁨의 빛이 솟아오르는 듯한 환희를 느낄 거야.

스몰에스는 힘겨운 이 시기를 잘 견디어 이겨내리라 믿는다.

우리 함께 이 어려운 시절을 잘 헤쳐나가자꾸나~^^☆

-2020년 (벌써) 12월 19일 늦은 밤에, 대문자S가-

〈끝〉

※**알아두기와 후주**(참고자료 및 코멘트)

◎본문에 나오는 '이치', '법칙', '원리'는 자연의 '진리'를 가리키는 모두 같은 말이라고 이해하시면 됩니다.

◎본문 속 어느 문장 앞이나 뒤에, 아래 작은 괄호(외괄호 또는 쌍괄호) 번호 매긴 것이, 참고자료를 토대로 한 내용과 후주에 코멘트한 부분이 있다는 것을 표시한 것입니다.

◎참고자료에 대하여: 출처의 원문 문장 그대로 본문에 인용한 게 아니라, 그 사실 내용을 기반으로 필요한 정보를 선택하고 요약 정리했습니다. 상황에 따라서는 그것을 대문자S의 언어 표현으로 다시 소화해 문장을 다듬었습니다.

◎참고자료 출처는 일반지식과 자연의 진리(이치)로 분류하여 따로 표기했습니다. 아래 작은 괄호 번호 중 외괄호는 '1)' 일반지식에 해당하고, 쌍괄호는 '⑴'는 자연의 진리에 해당합니다.

1. 일반지식

✽6번째 편지_조금씩이라도 움직여보자

1) : 매일매일 행복해지기 7가지 행복 습관 들이기, 유튜브, 하봉길감독, 2019. (생활 도의 내용)

2), 3) : [네이버 지식백과] 상담학사전, 복식호흡, 2016

4) : 달걀꽃: 달걀꽃의 꽃말은 '화해'와 '가까이 있는 사람에게는 행복을 주고 멀리 떨어져 있는 사람을 다시 불러들인다'라는 예쁜

뜻을 가졌어요. (출처: 행운별의 소소한 행복(블로그명)의 개망초 꽃말 나물 효능 포토 찰칵(검색제목))

✱7번째 편지_네가 재미있어하는 게 뭐야?

1) : 우울증 총정리-증상 치료 극복법, 유튜브 정신과의사 정우열, 2019

2) : 마음홈트(책제목), 마리안 로하스 에스타페(저자), 레드스톤(출판사), 2021(출간년)

✱8번째 편지_이럴 땐 이런 노래, 저럴 땐 저런 노래

1) : [네이버 지식백과] 어린이백과, 음악으로 병을 치료할 수 있을까? (천재학습백과 초등 음악상식 퀴즈)

2) : [네이버 지식백과] KISTI의 과학향기 칼럼, 모짜르트도 모르는 음악 효과?

3) : [네이버 지식백과] 건강백과, 음악치료 (암 알아야 이긴다, 김언지, 이소명)

✱9번째 편지_춤겨워라, 흥겨워라

1) : KBS 생로병사의 비밀, 내 몸을 춤추게 하라, 2018, 4, 11, 방영

2) : KBS 생생정보통, 춤으로 암을 이긴 사나이, 2016, 8, 2, 방영

3) : KBS 아침마당, 월요 토크쇼 베테랑, 2018, 4, 30, 방영

4) : KBS NEWS [똑! 기자 꿀! 정보] 재미있게 살 뺀다! 다이어트 댄스, 2016

✱10번째 편지_빨주노초파남보, 색채 마술

1) : [네이버 지식백과] 건강백과, 미술치료 (서울대학교 의학정보)

2) : [네이버 지식백과] 건강백과, 미술치료 (암 알아야 이긴다, 김선현)

3) : [네이버 지식백과] 네이버캐스트, 우울과 불안을 잠재우는 컬러 테라피 (컬러 테라피, 김선현)

4), 5) : [네이버 지식백과] 네이버캐스트, 색깔별 효능 (컬러 테라피, 김선현)

6) : [컬러심리] 노란색의 의미, 우울증 극복에 도움이 되는 "옐로우(Yellow)" 유튜브, 김옥기의 컬러톡톡, 2021.

7) : [네이버 지식백과] 네이버캐스트, 컬러 테라피 (컬러 테라피, 김선현)

8) : [네이버 지식백과] 네이버캐스트, 색깔별 효능 (컬러 테라피, 김선현))

9) : [컬러심리] 보라색의 의미, 감각적이고 자유로운 "바이올렛(Violet), 유튜브, 김옥기의 컬러톡톡, 2021.

10) : 15회 [세상을 치유하고 싶은 바이올렛], 유튜브, 안진희의 컬러힐링, 2019.

11) : 원추리 : 시름과 걱정을 잊게 해 주는 꽃이라는 뜻으로 '망우초'라고 불리고 '모애초'라고도 불려요. (출처: 가야(블로그명), 원추리 키우기/원추리 효능과 전설 그리고 꽃말(검색제목))

❋13번째 편지_취미생활_내 안에 또 다른 내가 자란다

●핸드폰 사진 찍기

1) : 이미지 출처, 픽사베이(pixabay)

2) :   〃

3) :   〃

4) : 이미지 출처, 아이스톡포토(istockphoto)

● 인터넷 활동
5) : 네이버 어학사전
6) : 네이버 어학사전

✽ 12번째 편지_다시 시행착오를 겪지 않으려면
1), 2) : 나는 당신이 오래 오래 걸었으면 좋겠습니다(책제목), 다나카 나오키(저자), 포레스트북스(출판사), 2018(출간년)
3) : 상위 1%는 절대 하지 않는 '뇌를 망치는 치명적인 습관들' (이리앨 지식 큐레이터, 풀영상), 유튜브 스터디언, 2023.5.26

_____

2. 자연의 이치
:모든 자연의 이치는 유튜브 '홍익인간인성교육(jungbub2013)' 내용을 바탕으로 했습니다.

✽ 6번째 편지_조금씩이라도 움직여보자
(1) : 1696강 산후우울증, 우울증(3/4) 2012. 7
1697강_1 노인우울증(4/4) 2012.7

✽ 8번째 편지_이럴 땐 이런 노래, 저럴 땐 저런 노래
(1) : 4778강 음악치료, 2015.7.8

✽ 9번째 편지_춤겨워라, 흥겨워라
(1) : 1697강 노인우울증(4/4) 2012.7

✽ 10번째 편지_빨주노초파남보, 색채 마술

(1) : 3112강 색깔, 금 2014.8.29.

(타임라인에서 벗어난, 순간이동한, 줄줄이식)

✽13번째 편지_취미생활_내 안에 또 다른 내가 자란다
- ●핸드폰 사진 찍기
 (1) : 2923_1강 사진촬영 취미(1/2) 2014.7.5
 (2) : 6020강 한복, 색깔 2012.5.13
 (3) : 2563강 내성적이면서 급하다 2014.3.16.

- ●인터넷 활동
 (4) : 5220강 사람을 대하는 법(1_2) 2016.4.11.
    10804강 신장 이식수술과 면역 억제제 복용(1_2)
    2021.1.2.
 (5) : 762강 혼자서 공부하는 것과 사람을 만나는 것 2018.7.1.
    4062강 디지털 세대의 인간관계-인터넷을 통한 소통과 어
울림(1/2) 2013.10.6.
    10018강 소통 방식의 변화(2_2) 2020.5.10.

✽11번째 편지_최고의 영약
 (1) : 6554강 교도소에 근무 중인 미술심리치료사 2017.6.29.
 (2) : 2472강 정법강의와 눈물(1/2) 2014.2.15.

※자연의 이치_우울한 그대에게 도움될
 ※(1) : '자연의 이치_우울한 그대에게 도움될' 이 부분 내용은
아래 17개 강의를 바탕으로 했으며, 그것을 이 콘텐츠에 맞게 소
주제에 따라 분류해 요약했습니다.
    1983강 우울증 2013.9.28.
    5121강 마음의 상처 2016.5.15.

4251강 동생의 상처, 우울증 2015.8.8.

2251강 우울증, 불면증 2013.12.29.

200강 공황장애-1 2012.1

10804강 신장 이식수술과 면역 억제제 복용(1_2)
2021.1.2.

10494강 좋은 얼굴을 가질 수 있는 자세(1_3)
2020.10.1.

3892강 크루즈여행사업, 사회에 기여하는 일
2014.11.25.

763강 남 탓 하지 마라 2012. 6월

1696강 산후우울증, 우울증(3/4) 2012.7

1697강_1 노인우울증(4/4) 2012.7

4263강 공황장애-근본적 치료방법 2013.11.9.

8842강 불안, 우울증으로 대인관계가 힘들다 2019.7.

8613강 현실의 고민으로 찾아온 우울증 2019.4.3.

201강 공황장애-2 2012.1

959강 2013년부터 차원계도 바뀌는지-2 실패하지 않
게 힘을 준다 2012.11

10386강 온 국민이 함께하는 요가가 되려면(3_6)
2020.7.7

☀12번째 편지_다시 시행착오를 겪지 않으려면

※(1) : '12번째 편지_다시 시행착오를 겪지 않으려면' 이 부분
에서 대문자S가 스몰에스에게 해 주는 조언은, S가 자연의 이치
를 흡수한 이후에 그의 경험을 통해 이치를 내면화해서 스몰에스
에게 꺼내주는 도움말입니다. 그러므로 그것은 대문자S의 생각과
자연의 법칙과의 구분이 불분명하고 그 둘이 혼합됐습니다. 다만,
중요하게 참조한 부분은 아래와 같습니다.

(2) : 10740강 나를 어렵게 하는 상대 2020.12.27.

(3) : 5103강 불평불만을 하면 안 되는 이유 2016.5.1.

(4) : 11638강 '위드 코로나' 시행을 앞두고(2_3) 2021.10.17.

(5) : 11463강 받았던 상처가 잊힌 줄 알았는데 다시 올라오더라 2021.5.23.

(6) : 11204강 노동I-노동은 욕구충족의 수단에 불과한 것인가?(4_7) 2021.3.17.

(7) : 11244강 비대면 배달업을 하는 젊은이의 바른 자세 2021.6.13. / 11609강 새내기 직장인의 자세 2011.1.16

- 감사합니다 -